零障礙博物館

The Accessible Museum
Model Programs of Accessible
for Disabled & Old People

AMERICAN ASSOCIATION OF MUSEUMS
www.aam-us.org

[前言] *Foreword*

　　美國各地的博物館正在作各種努力，以便吸引高齡者與各類殘障者更愛進博物館欣賞館藏珍品。美國聯邦與州政府所制定的相關法令，例如1973年通過的更生法第504條款，與1990年通過的美國殘障法規，均加速了全美國人民改變心態並起而執行的速度。這些努力的重點在於：以提升人性尊嚴的方式接納這些弱勢團體，並對他們開放現有的活動計畫與服務。

　　許多博物館專家如今都已認清，充分便捷的設施與展出，不僅使大家益發覺得博物館的安全性提高，讓人倍感舒適，而且覺得更有意義；斜坡道與電梯的裝置，不但可降低意外事故的發生，還方便嬰兒推車進出，更有許多四肢健全者寧可選擇搭乘電梯。放大字體且對比鮮明的說明板，可吸引每一個人的注意，加上字幕的影片與錄影帶，則更方便兒童與外國觀光客閱讀，此外，展示品的設置能夠配合坐輪椅觀眾的高度，同時也會適合於身材較矮小的成人與兒童。

　　本書的出版是為了鼓勵並協助你，在安排博物館的設施與活動計畫時，多多為高齡者與殘障者設想──不論他們是員工、義工、創作者或者是觀眾。本書所介紹的各種博物館案例，對於促進自主性與尊嚴，以及拓展大量新觀眾的方法，猶如開了一扇門；每一項計畫都證實了與殘障者和年長者緊密溝通後，能以最經濟、有效且適當的方式，提升博物館的參觀率，此外，書中案

例所提供的資源，也對參觀率的提昇有所幫助。最重要的是，本書完整呈現出年長者與殘障者的意見，除了以案例的方式加以描述，本書的出版工作成員、撰稿者及攝影師也由他們擔任。

這本獨一無二的書得以問世，是美國博物館服務中心（Institute of Museum Service, IMS）與美國國家藝術基金會（National Endowment for the Art, NEA）協議下的結果；這兩所機構在 1986 年 9 月間，決定共同合作，「以達到改善聯邦機構的共同目標---此即根據聯邦法規，鼓勵並協助博物館蒐集館藏，以及妥善安排便利殘障者的參觀活動。」

起初，美國國家藝術基金會（NEA）的特別補助辦公室，與史密森機構的美國國家藝術博物館（Smithsonian's National Museum of American Art, NMAA），組成一個九人顧問委員會，所有委員均由殘障觀眾、無障礙設計專家與博物館館員組成，負責協助美國國家藝術博物館進行調查，了解全美博物館中無障礙計畫施行的狀況，此調查並由史密森機構贊助。這份詳細的調查問卷分送全美兩千座博物館，問卷回收率為四成，調查結果在1989年 5 月公佈，無數令人興奮的計畫與資源才為人所知悉。此一調查結果不但為本書提供了初步的研究基礎，還加強了出版這樣一本書的需要。因此，美國國家藝術基金（NEA）與美國藝術國家博物館（NMAA）達成協議，負責編輯這些特選出來的案例，而美國博物館協會（AAM）則負責出版《零障礙博物館》（The Accessible Museum）一書，資助出版的是國家藝術基金會（NEA）及博物館服務中心（IMS）。美國博物館協會與這兩個機構合作，在 1990 年11 月29 日召集九人小組會議，他們推薦的典範，可由本書從六十一個博物館中所選出具代表性的實例中得到佐證。

我希望《零障礙博物館》一書能激勵讀者，更仔細去觀察這些博物館如何做到滿足年長與殘障的員工、義工與觀眾的需要；請聽取這些人的忠告，去發現問題所在，同時，勉力改善任何需要改善之處，裨使每一位美國人都有機會能親自體驗到國家豐富的文化資源。

　　達芙妮・伍德・穆瑞

　　國家藝術基金會副董事長

　　Daphne Wood Murray

　　Deputy Chairman for Public Partnership, NEA

　　美國博物館協會感謝下列個人對本書的出版作出貢獻：

　　感謝國家藝術基金的代理主席安 -- 艾美達・瑞迪斯（Anne-Imelda Radice）與其前任約翰・佛隆梅耶（John Frohnmayer）與法蘭克・霍索（Frank Hodsoll），凱特摩爾（Kate L. Moore）以及企畫主任寶拉・特利（Paula Terry）。博物館服務研究機構（IMS）的院長蘇珊娜・辛浦森・肯特（Susannah Simpson Kent），與前任院長路易斯・布爾克・謝巴德（Lois Burke Shepard），還有瑞貝卡・丹佛斯（Rebecca Danvers）；此外感謝提供自傳研究的瑪格麗特・柯格斯威爾（Margaret Cogswell）

以及瑪麗・葛瑞格・米契（Mary Gregg Misch）。

　　我們同時感謝美國藝術國家博物館與史密森機構指導下的美國無障礙博物館全國調查顧問委員會的所有成員：Judith O'Sullivan，Margaret Cogswell（美國藝術國家博物館）；Jan Majewski（史密森機構）；Priscilla McCutcheon, Boulder（科羅拉多州）；Mary Ellen Munley,（喬治華盛頓大學）；Mary Jane Owen（殘障焦點公司）；Margaret e. Porter（美國衛生與人類服務部）；Deborah M. Sonnenstrahl（加拉德特大學）；Paula Terry（國家藝術基金）；Gail Weigl（柯寇蘭藝術學院）。

　　此外，我們還要感謝特選討論小組主持人 Charles K. Steiner,（普林斯頓大學藝術博物館），及其他小組成員 Kathy Ball（拉法葉自然史博物館及天文館）；Ray Bloomer（薩嘉摩山國立歷史古蹟遺址）；Karen Dummer （明尼蘇達州聖保羅市兒童博物館）；Lana Grant（薩克與福斯圖書館）；Janet Kamien（自然歷史田野博物館）；Dianne Pilgrim, Cooper-Hewitt（美國設計博物館）；Beth Rudolph （新墨西哥州非常特別藝術）；以及 Deborah Sonnenstrahl。

　　美國博物館協會方面，Kathy Dwyer Southern 與 Bill Anderson 所花的心力，以及 Nancy Hayward 的辛勤研究，也值得記上一筆。

[序言] *Preface*

　　《零障礙博物館》一書的問世，是美國國家藝術基金會（National Endowment for the Arts, NEA）、博物館服務研究中心（Institute of Museum Services, MS）以及美國博物館協會（American Association of Museums, AAM）的一項重要成就。國家藝術基金會與美國博物館協會正視了觀眾在參與博物館活動時便利性的問題，事實上，這也正貫徹了所有博物館的核心功能：博物館是為每一個人設立的。這個簡短的聲明，是每一個公立博物館應有的使命，但卻經常遭到忽略，各式各樣的壁壘---無論是知識的、社會的、文化的，乃至身體方面，在在阻礙博物館發揮其作為教育與文化中心的潛能。

　　身為博物館館長，又是個肢體殘障者，令我得以獨特的角度，來觀察這些障礙的存在，體察它們造成的衝擊。我關心博物館展示內容的充實，以便讓更多的觀眾能夠參觀，同時我也關切博物館的設施，是否能便利每一位觀眾。從個人職位的有利角度，上述我所關切的兩個問題都能圓滿解決，不過，自從我開始坐著輪椅從後門到館上班之後，我發現自己無法登上通往博物館前門的樓梯，這時，我才對博物館的無障礙環境有特別的感受與關注，而我關切的對象不限於肢體殘障者，也包含了為視障者、聽障者與學習障礙者而規劃的展示與教育活動。

　　我確信提供便利的硬體設施與相互尊重的態度，是達成無障礙

目標的重要因素；僅是設置點字機、加大門寬或為聽障者加設字幕式電話並不足夠，這些建築上的修改與調整，加上設施的增添，的確能夠增進觀眾在館內活動的便利，也讓觀眾能夠更親近各項活動。不過，只有外在的改變是不夠的，更須改變的是我們的態度；只因在出入口設置有斜坡道，或是在洗手間內加設把手，並不代表所有的不便問題都迎刃而解了，其實，從博物館警衛到導覽人員，從研究人員到管理人員，對所有民眾都必須待之以尊嚴、禮貌以及同理心。我們的態度必須改變，要接受大眾的原貌就是：各有其不同的需求、關注事物、能力以及限制。

我的博物館事業是循著傳統的步驟發展出來的；先是熱愛博物館，然後，開始希望能參與博物館的規劃與創建工作。我是在1978 年被診斷出得了多發性硬化症，離不開輪椅至今已經有六年了，在這段期間，「無障礙」這個名詞開始有了嶄新的意義；東西光是美麗並不夠好，還必須發揮功效，好的設計能夠以富於創意的方式解決問題，而若論及規劃博物館展示與教育計畫，我認為我們需要更優秀的設計師。

這個是重要的訊息；我們的博物館，無論是藝術的、設計的、科學的或者歷史博物館，都應該讓每一個人能便利參觀才對。而今天以便利殘障者之名，而進行的博物館無障礙環境的改進，有朝一日大家都會感受到它帶來的方便性，因為，畢竟有一天我們都會年老體衰，到時大家一定會感激美國殘障法規所促成的這些改變，給我們帶來了諸多便利。

本書最令人印象深刻的是一些涵蓋廣泛的活動計畫；與其特別為特殊需求的對象，例如：年長者、視障者等規劃教育活動，不

如在活動中廣泛涵括各種對象所關切的事物、需要與興趣。

　　在我們開始看到本地的超級市場、人行道、博物館等，紛紛在為殘障者改善不利的環境之際，我們還須提出另一面向的問題；我們必須表現出接納、尊重的態度，唯有這樣內外兼具的改進，才真正能達到百分之百的零障礙目標。

戴安‧皮爾格林（Dianne Pilgrim）
現任紐約史密森機構美國設計博物館
庫柏-修威特博物館（Cooper-Hewitt Museum）館長

[引言]　*Introduction*

　　《零障礙博物館》一書網羅美國十九個對殘障朋友提供便利服務的博物館。出版本書的用意，在於鼓勵其他各地的博物館能見賢思齊，以類似的創意方法改良設計，使從前沒有機會進博物館接觸文物的殘障者能夠前來欣賞，如此博物館的館藏才有其意義。本文旨在引導讀者由行為準則或研究的角度，而非出於法規要求的制式觀點，來思考殘障者在博物館內所遭遇的不便問題。

　　為殘障者提供無障礙環境的概念，至今依然有人認為是激進的觀念，只要翻開報紙便不難找到像是修改大眾運輸工具（例如：屈膝式的巴士、設地下鐵電梯）的消息，由此看出人們將為殘障者提供無障礙環境的作法，視為極端或瘋狂之舉。其實這個「激進觀念」早在 1973 年便已根據職業更生法納入聯邦法令，及至1990 年，其原則因美國殘障法的制訂而進一步明備擴大。 1973年的職業更生法經常被引用的重要部份是：「在美國，殘障人士絕不得因其殘障的緣故，被拒於聯邦所提供的財務援助，或有關福利之外，或者在任何計畫、活動中受到差別待遇。」

　　全美約有四千三百萬殘障人士，據估計每五名美國人當中至少就有一名殘障者。國家藝術基金會的第 504 條規定對殘障者的定

義如下：「凡是因身心受損導致生活中至少一項活動大受限制者，或是有過這類損害紀錄者，或者被認定有此類損傷者。」除了廣泛引介殘障者的平權觀念（包括就業機會均等），504條款的其他規定包括：鼓勵跟殘障者（也就是消費者）磋商研究一套能夠提供無障礙環境的可行之道，以及要求各接受聯邦援助的機構，擬就自我評估以及過渡計畫，總結他們目前的無障礙環境情況，提出需要改進的計畫。這個法案並不十分成功，不過卻影響了許多博物館，本書對其中部份博物館有特別介紹，這些受到影響而去設法改進的博物館，視殘障者為具有潛力的觀眾來源，紛紛切實去探詢各式各樣的改進方案，以期讓殘障者在館內能更舒適自在的參觀。美國殘障法的制訂更把聯邦的反歧視規定拓展到所有公立機構，包括大眾運輸、所有公共設施如博物館與電信通訊等。從此博物館再也不得為了避免採取改善無障礙環境的步驟，或為了省這筆錢，而放棄聯邦的資助。

「殘障」一詞雖然習用但卻容易造成誤導，因為它隱含有全體殘障者均屬次等人之意。其實每個人的殘疾情況並不相同，因此對甲方便的解決方法，不見得適用於乙身上。再者，殘障團體之間有時也頗為疏離，對任何事情難以建立共識。殘障與年長身份的重疊一向是敏感的，許多老年人都不願自視為殘障者，因此，六十五歲以上的年長者與六十五歲以下的人，在自我定位上經常出現分歧的情形；老年人不承認自己已經體衰，而年輕人對自身

「殘障者」的身份則有其尊嚴。

　　甚至在殘障團體內也經常可看到嚴重的分裂，以致像博物館這些希望對個別殘障者提供服務的機構，常很難找到明確的焦點。譬如失聰者中，有的人藉符號溝通，有的人則不然；在失明者當中，有些人支持舉辦研習營，有的則否；還有神經受損、特別是心智遲鈍的殘障者，與神經未受損，無心智遲鈍問題的殘障者，這兩種人是完全不同的。許多失明、失聰、行動不便的肢體殘障者，被人懷疑他們的心智有問題，他們極盡所能的要跟心智殘障者劃清界線。英國廣播電台過去播送過一個「請問他要不要加糖？」(Does He Take Sugar?)的節目，節目中那位侍者不對失明的消費者本人發問，反而對著導盲人詢問盲者飲茶加不加糖，這位侍者的行為足為世人警惕。

　　博物館為殘障者提供的服務並無新意，也非法令規定有以致之。以大都會博物館為例，自從1913年以來，這個博物館就為無數殘障團體服務，當年大都會博物館館長狄佛瑞（Robert W. de Forest）為殘障者開了兩堂課，教他們以手去觸摸，藉以認識美國的彫刻品與樂器。此外有不少紀錄顯示，在 1924—25 年間，有許多博物館舉辦「為殘障兒童講故事」的活動，在 1926 年還曾開設讀唇語課程。由這些大都會博物館推出的計畫來看，為殘障者提供無障礙環境的觀念到底有什麼真正的新意？何以我們全體、殘障者以及博物館員工，過了這麼久才建立向來廣被宣揚的「無障礙文化接觸」？

　　答案之一是「無障礙環境」這個名詞被濫用了，在一般用法上其意義變得模糊不清，這個名詞也與1973年的職業更生法密切有

關，以致其統合的根本目標為許多人所忽略。結果，有時候遵守法規的必要性，反而高過於讓殘障者融入我們社會——包括博物館在內——這個富哲理性與教育性的基礎目標。（如果問博物館某一計畫或建築計畫的修改理由何在，許多博物館專家常答以「法令規定如此」，或者「法律」，而實際上他們並不清楚是依據那條法令，或者還有那些法規。）這種情形與 504 條款的規定有關，其實這個法規證明其地位至高無上，以致於後來不得不增設一條聯邦法，即 ADA，這使得在推動殘障者能夠無障礙的接觸文化活動時，不再被視為是一件苦差事。儘管研究藝術史的藝術史學家，或專研生物學或者植物學的自然史博物館研究員，畢生都在博物館內繼續從事專門研究，為到博物館參觀的殘障者提供親近文化的機會，或許，他們什麼都顧及了，但卻連其他機構所作粗淺的相關研究都很少聞問，或許，他們沒有時間去擔負遵守504或者ADA 規定的額外責任，或許，他們對這個問題並不特別感到興趣；因此，虛構出來的指定解答是十分具有吸引力的。因為如此，即使經過這麼多年，博物館仍一再重蹈覆轍，且博物館在改善無障礙環境方面，進展如此之緩慢——以美國全國的殘障者總數而言，改進的速度實在太遲緩了。

　　如今是到了更新詞彙、改善方法與檢討目標的時候了。說到檢討，首先應審視既有的文獻，多年來，美國與海外博物館以及與博物館有關的服務組織，出版了許多甚具影響力的書，這些書的作者都是博物館界重要的開創性人物。為了改進過去計畫的缺

失，增進無障礙環境，對這些書與其他已出版的著作，必須先作一番檢討，再去採取行動。

　　由伍芬斯柏格（Wolf Wolfensberger）撰寫的《人性服務的正常化原則》（The Principle of Normalization in Human Services）（1972年出版）是特別重要的一本書，因為書中主要從人類居住習慣的觀點，提出讓殘障者融入社會的理論綱要。書中並不把焦點放在以美學「讓步」的方式，提供殘障者無障礙服務（如：降低雕像底座，放大字體等），而著重於整體的策略，促使個人從隱遁的生活走向保護較少的環境與生活方式。作者認為，許多以無障礙為題的文獻，只把重點放在博物館館員認為其會造成美學上負面的改變，這實在令人感到遺憾。雖然這些文獻的合理化解釋，始終提到「人人受益」，但這樣的論點並不能使人信服。伍芬斯柏格也主張要把殘障朋友導入社會，但其觀點迥異，他的不同觀點對我們這些有心鼓勵殘障者常上博物館，而苦思對策的人大有幫助。博物館常做的是為殘障者設置方便其進出的坡道，或者推出特別的計畫，卻欠缺提供一貫的整體協助。

　　伍芬斯柏格對正常化所下的定義是：「利用盡可能合乎文化規範的方法，以便養成或維持個人盡可能合乎文化規範的行為與特徵。」

　　他還說：「如上所述的正常化原則雖然簡單，卻未能落實貫徹，許多人雖然全心贊同，但卻未能體察到最直接而主要的結果與影響。誠然，許多負責人事的經理，對這個原則都不假思索的表示支持，卻在實際做法上反其道而行──由於事先未能注意到這種不協調的問題，直到影響出現才恍然大悟。然後這位管理者可能陷入非常痛苦的兩難處境：他在支持原則的同時，做法卻是背道而馳。」

舉例而言，有些博物館在指派殘障者導覽觀眾方面，原則是一回事，實際做法又是另一回事；館方通常指派殘障者只去導覽其他殘障者，而並不安排導覽肢體健全的觀眾。正常化原則是鼓勵博物館錄用殘障員工，而非只讓殘障者去做導覽殘障觀眾的事。同樣的，若依循正常化原則，那麼應如何規劃讓殘障者以觸摸方式來參觀平時禁止觸摸的館藏藝術品？這並不是說博物館不應雇用殘障導覽人員，或不應開放讓殘障觀眾以觸摸方式接觸展品，伍芬斯柏格強調的是，在作「正常化」決策時所憑藉的依據與價值觀，是十分重要的，有關無障礙環境的目標必須予以釐清，同時，博物館必須認清自身作為專業時，對規範之取向的影響力。

　　目前，我們所面臨的無障礙問題是，究竟它是屬於法律與理論兩者並重整合而成的範疇？抑或是強調接觸博物館典藏的高品質計畫？自博物館的觀點而言，這兩個概念彼此間存在著衝突，雖然，大多數人都關切讓殘障者親近博物館藏品的問題，不過，博物館已不全然以館藏品為中心，這也是個事實；許多博物館內設有禮品店、停車場、洗手間與餐廳，還舉行贊助人宴會及酒會等，無論是一般觀眾或殘障觀眾，許多人來到博物館為的是利用這些設施，而非來參觀館藏作品。許多博物館推行的無障礙計畫，有個立論錯誤的假設：殘障者必定希望接觸博物館藏品。就如同博物館專家所認為，我們只假設這個前提，是因為這符合博物館專家本身的利益，我們不容許這些殘障公民，享有我們容許

其他觀眾所享有的──可以對館藏品不感興趣的權利。因此，我們對無障礙服務的所訂立的兩個子題：一是為符合法令規定而促進整合工作（亦即修改建築物的結構，提供便利環境，以及在一個便利的地點提供類似的服務），一是鼓勵殘障者利用博物館館藏，從中利用、享受與學習。

然而，這樣的觀念卻可能相斥；迄今許多博物館一直是以「一套」計畫，例如可觸摸的展品或者設置斜坡道，作為符合 504/ADA 規定的主要或替代解決之道，這就使得政府與消費者面臨了以下的困境：一方面，看到博物館終於針對殘障觀眾進行大規模的改進，的確令人興奮，然而消費者與政府或許認為這僅是贖罪，或者僅是恭維這種作法，是否也讓人覺得博物館推行無障礙環境之事，是次要而可以拖延的呢？從博物館的專業角度來審思，這種困境是必然的結果；假若一位館長認為博物館的主要業務是收藏，那麼無障礙環境的首要目標，應該是要促進與館藏作品的接觸，並因而排除為賣店或博物館餐廳進行建築修改的可能性。但無障礙環境不能有選擇性，必須兼顧博物館多元的功能。

因此，出版本書是一個起點，而非結束或目的達成。博物館界應利用它進一步了解熟悉其他博物館執行類似工作的必要性，看待有關問題猶如其他規章的要求，盡力去探討新的解決方法，藉此進一步研究殘障觀眾的服務領域，同時要認清，至今既有的解決方法都非完美無瑕。

現任普林斯頓大學藝術博物館副館長
查爾斯・史坦納 Charles K. Steiner

[導讀] *Introduction*

第一次知道《零障礙博物館》〔The Accessible Museum〕這本書，約莫是10年前在英國留學期間的事了。還記得有一天指導教授史丹思菲爾德〔Geoff Stansfield〕先生到我的研究室來，手中揮舞這本書，很興奮的告訴我說，這是他多年來所罕見的一本非常有心的博物館學著作，希望我有空時要讀一讀。當時，我正全心全意撰寫博士論文，並未特別在意，隨手翻閱了幾下，就擱下了。沒想到在10年後的台灣，五觀藝術管理公司的桂雅文總監慧眼獨具，在看了這本書後深受感動，決心要把它翻譯出版，她花費了許多工夫從美國博物館協會爭取到本書的翻譯和出版權，寫了無數的信函一一向本書中所出現的19座博物館洽商圖片使用權，糾集了博物館界一批年輕朋友共同投入翻譯和編輯工作，並從國家文藝基金會和台北市文化局申請到部份出版贊助。在她不懈的努力和堅持之下，這本書的中文版終於要付梓了。我很榮幸承蒙她邀請為這本書做導讀，在一一閱讀本書各章的中文譯稿後，略撰一些心得，實不敢稱之為「導讀」，只希望能略補十年前輕忽之過，或稍有助於為讀者鋪陳本書要旨而已。

1986年9月，美國華府的史密森機構〔The Smithsonian Institution〕和美國博物館服務中心（Institute of Museum Service），在美國國家藝術基金會（National Endowment for the Art）的贊助下，合作進行了一項調查，其目的在了解美國博物館中無障礙計畫施行的狀況。1989年5月調查結果公佈，美國博物

館界許多以殘障和老年人為服務對象的活動案例，才首度集體公諸於文字。有鑑於此項調查結果的開創性和重要性，美國博物館協會（American Association of Museums）決定在這些案例中，精挑細選十九個典範，予以編輯成書，這就是《零障礙博物館》（The Accessible Museum）這本書的出版由來。

在這本獨一無二的博物館學著作裡，將十九個博物館的實施案例分成「獨特的推廣活動」〔Unique Outreach Program 〕、「創意的解決方法」〔Innovative Solutions)、「由上而下一起行動」(Broad-Based Programs 〕、「教育訓練展活力」〔Training Programs 〕等四個篇章加以論列，並配合圖片解說，生動而具體的反映了美國不同類型的博物館，為服務殘障和高齡觀眾所付出的各種面相的努力。下面試舉幾個我覺得特別有趣或深受感動的例子和讀者們分享。

在波士頓兒童博物館裡有一個叫做「假如你不能？」（What If You Couldn't?）的常設展示廳，目的是要讓正常的兒童觀眾體驗殘障者的生活狀況。孩子們可以坐在輪椅上，學習在斜坡上操縱它，可以試試行拄著金屬拐杖走動，也可矇著眼睛在一道混合著不同材質的牆面旁邊行走，藉著這些活動親身感受殘障者每天所需面對的障礙和困難。

在洛杉磯市的自然史博物館裡，有專為殘障兒童與老人設計的推廣教育活動。住在安養院的老人，親人很少來訪，時常感到孤單，又通常身帶疾病。殘障兒童則有生理、心智、情緒和發展上的障礙。這兩種觀眾群其實有共同之處；他們都無法自行前來博物館參觀。這些館員們遂主動帶著教材教具，前往安養院或醫院為他們舉辦各項活

動，為寂寥的老年人和殘障兒童帶來許多生活和學習上的樂趣。

在芝加哥市的史波特猶太博物館中，有六位年長者圍桌而坐，正仔細觀看一些猶太人日常生活的器物，其中有用藍絲絨包裹、銀箔裝飾的猶太經卷，安息日和修殿節所用的燭台，和祈禱時穿的袍子等。這些觀眾是特地來參加專為年長者及視障者所設計的「休閒導覽」。這種導覽的特別之處是，參加者不必四處走動參觀，只須舒適地坐在椅子上，等待精心挑選的文物送到他們面前。

華盛頓州貝恩橋島的布洛德保留區以500元美金的費用，為聽障觀眾安裝了一種顯示來話的電話機（Telephone Text），同時並為員工和義工印製了一本"布洛德保留區的零障礙空間"手冊，內容主要是接待殘障觀眾時的基本常識，舉例來說，在「一般接待」那一章，手冊上指示義工要「直接詢問殘障觀眾，而非詢問他的同行者」，接待視障觀眾時，無論走近或離開時，「一定要告知他，你來了或是要離開了」，以免他因你的出現而受到驚嚇，或是不知道你已離去而發生困難。

在波士頓美術館為盲者設計的導覽活動中，園藝專家一邊傳送植物標本讓他們觸摸，一邊解說莫內筆下的花園景致和田野風光，接著，內科醫師討論莫內的視覺變化和逐漸失明的過程，以

及這個巨變對一位藝術家的影響，最後，導覽人員語音導覽的方式帶領他們參觀展覽。一位失明多年的觀眾妮爾在參加導覽之後，寫了一封信給該館表達她激動的情緒：「如果用迷醉來形容，或許還太含蓄！透過你們的導覽，使得莫內和其畫作在我面前栩栩如生的重現，當我邊聆聽那棒透了的語音導覽一邊參觀時，我覺得自己可以真正了解和體驗到每一幅畫作。這幾天以來，我一直處在十分激動的狀態，對每一位遇到的人──不管是在商店、巴士或地鐵中──我都會臉頰泛紅，興奮地對他們描述莫內筆下搖曳的朵朵蓮花、驚悚教堂和迷霧。雖然這聽起來很奇怪，可是，我真的覺得即使是明眼人也未必能體驗到像我這麼多。我殷切期待能再次前來參觀。」

伊利諾州卡本迪爾市的南伊利諾大學博物館詳列了十幾項工作及各別的職責，希望能找出何種工作適合殘障者接受六週的訓練計畫。這些提供殘障者學習機會的工作包括了：將收藏資料進行電腦建檔、從事有關展示的研究、協助展示品的製作安裝、協助整理收藏細目、整理大量的圖書館幻燈片檔案、監督與管理賣店用品、更新教育用途的資料、擔任博物館導覽人員、研究與撰寫藝術品作者的生平資料、從事一般研究、擔任展示廳警衛、擔任接待人員等。自從該計畫推動以來，博物館總共訓練了三十位殘障者，其中只有一位無法在博物館裡找到工作。

從以上所述的這些活動或計畫，讀者可以約略看出美國博物館界為殘障或其他特殊觀眾所做許多努力的一斑。我在這裡想要強調的是，這些努力開始時可能是出於符合法律〔如1973年的更生法第504條款，與1990年的美國殘障法〕的需求，而有被動的色彩，但是努力一旦啟動，且得到觀眾積極的回饋之後，就成為一

股自發性的力量，從僅僅為殘障者服務的角度，擴充演化成博物館從業人員一種專業自覺和工作倫理。

博物館是一個為人民福祉而存在的公益機構，對所有來館觀眾的尊重與關心，是所有博物館的終極關懷；這是每一座博物館應有的使命，但是，卻也因為種種政治的、經濟的、社會的、文化的，乃至身體的各種藩籬而常常遭到忽視，大大減損了博物館做為發揮教育和文化機構的巨大潛能。透過本書各個案例，我們看到美國的博物館如何以適宜的軟硬體和提升人性尊嚴的方式接納弱勢團體，有效的提昇了民眾參觀博物館的意願和參觀率，並從中發展出一套開發博物館觀眾群的方法學。這套方法學的秘密，主要不在法令條文的規定或硬軟體設備的改良，而在博物館從業人員內在心理和工作態度的改變。從館長到警衛，從典藏人員到展示教育人員，從行政人員到義工，如果能體會到博物館觀眾的多元性，以尊重和理解的心情看待不同觀眾的期待和需求，瞭解體會他們的限制，並以提供一個各種觀眾都能樂在其中的文化和教育環境為職志，這樣的博物館就和「零障礙博物館」庶幾近之了。

張譽騰
國立台南藝術學院博物館學研究所 所長

[目次] *Contents*

■ Part III　由上而下一起行動 *Broad-Based Programs*

■ Part IV 教育訓練展活力 *Training Programs*

獨特的推廣活動

Unique Outreach *Program*

Part I

[1 伊利諾州
布魯菲德市動物園
Brookfield Zoo, Brookfield,
Illinois]

　　十歲的小男孩麥克，參加了一個在芝加哥市布魯菲德（Brookfield）動物園兒童動物區舉辦的課後輔導活動，麥克的主治醫師以為他在那裡會盡情的發洩精力，像以往一樣敲東西、亂踢、大聲尖叫，可是，在為期六週的活動中，麥克的行為卻令所有人大吃一驚；他自動自發的參與並學習動物園的事務，與其他七個有行為偏差或是學習障礙的小孩一起工作，為山羊擠奶，照料馬匹，餵小動物喝奶，同時，沒有給管理員帶來任何麻煩。

　　麥克這個案例只是其中之一，芝加哥動物園（Chicago Zoo-logical Park）為特殊團體所推出的活動中，已有許多人獲益。芝加哥動物園通常被稱為布魯菲德動物園，在 1970 年代早期，像其他許多機構一樣，開始重視殘障觀眾的需求，並致力消除參觀障礙，在那十年內，園方增設了斜坡道以便利肢障者出入參觀，加設清楚易讀的指標系統，修改走道的寬度及坡度以適合輪椅通行，同時設置殘障者專用停車位，此外，並在許多展示區中加裝大字體及點字的展示說明板，以利視障觀眾參觀。

　　在 1980 年代，園方改善了洗手間、電話、飲水機及餐廳的無障礙空間，同時，園方還為這些特殊觀眾製作了一本導覽手冊，其中內容包括了：參觀資訊、輪椅使用者的參觀動線、殘障者停車須知以及其他相關訊息。同時，增設了一個特殊服務部門，由席格夫（Mark Thieglaff）負責，他不僅是正式的動物園管理員，

並有戶外和臨床治療的學位。

當席格夫在 1982 年正式接管這個部門時，所謂的特殊觀眾意指那些視障、聽障、肢障、心理障礙以及學習或行為有偏差的人，如今特殊觀眾的定義已擴大至包含有：多重障礙、自閉症、嗑藥、酗酒以及心智不成熟的人。

席格夫的目標十分明確簡潔，「就是讓觀眾能夠得到多一點的樂趣，多一些的便利，並從參觀中獲益。」

上述的目標與兒童動物區密切相關，因為該區大部分的規劃都是為特殊觀眾而設，它展出的是當地熟悉及中西部的各種動物，配合著參與式設計以及為數眾多的觀眾服務人員，使得該區通常是特殊觀眾來到動物園的第一站。

服務人員協助觀眾親近並觸摸該區大部份的動物，「你能夠透過手的觸摸感覺到不同的動物，例如農場中的羊、馬、雞，還有當地特有的犰狳。」席格夫說。犰狳特別受歡迎，因為它身上有多種不同的質感，像是毛茸茸的皮毛，柔軟的下腹，長而細的舌頭，而且，它有時還會舔舔觀眾的手指頭。

這種接觸方式使得安全性成為重要考量，不過，席格夫指出，管理員與義工會引導兒童及其他觀眾以適當的方式去接觸動物，同時嚴密的監督整個過程，並確保所有動物都沒有處於緊張狀態。此外，該區中所有動物都是由人豢養長大，並且習於和人相處、接觸。

兒童動物區中還有一些觸摸式的展示，並和導覽行程結合，這種方式使得特殊觀眾和其他觀眾一樣，都能享受到參觀樂趣。在展示中，有各種動物的皮毛標本，如海貍、土撥鼠及小型袋鼠，視障觀眾可藉此感受到動物的形狀及質地，"觸摸箱"則更進一

步提高觀眾在觸感方面的認知；觀眾先將手伸入一個有蓋、不透明的箱子裡，觸摸一些像是鹿茸、母牛皮、珊瑚、海星、椰子，或是鳳梨毬果等東西，然後再將箱蓋打開，看看是否猜對，而視障觀眾則有點字說明為他們解答。

另一個展示單元"感覺區"，主要介紹視覺，其中包括有：各種善於偽裝的動物，從魚兒或蜜蜂的眼精所看到的世界。另一個"嗅覺箱"則挑戰觀眾的嗅覺，是否能分辨從鳳梨毬果到小型袋鼠，乃至於臭鼬的各種氣味。

上述的課後輔導活動，是兒童動物區最創新也最成功的活動之一，園方與西部郊區特殊休閒協會（West Suburban Special Recreation Association）一同合作，以8到12歲的兒童為對象，參加者編成小組，每周上課一次，去認識馬、狗，以及一些常見的動物，並負責照料它們，像是修剪狗的指甲，清潔山羊的柵欄和為狗刷牙。

在課程中，每位參加者都必須在"寵物與學習的劇場"這個活動中公開介紹他所照顧的四種動物，同時必須回答聽眾所提出的各種問題，課程與活動的共同目的不僅在教育這些兒童，同時也提昇了兒童的社交與交談技巧，並從中建立他們的自信心，而這是我們的社會吝於提供給他們的。

「在課程中，的確是有一些孩子有嚴重的行為問題，而且極度缺乏自信心。」席格夫說道，但上過六周的課程之後，「一些孩子開始展現出專家的神態，他們覺得：嘿！我知道不少東西，而且有些是觀眾不懂的耶！」

與動物親近的活動對這些學童的幫助是多方面的，席格夫指出，即使是在課堂中有多重行為問題的小孩，參加動物園的課程之後，由於自信心提昇，因此行為也有所改變。根據後續追蹤的調查顯示，這些學童的改變往往超過原先所預期的；有些原本對社交或團體活動都沒有興趣的小孩，會自願為治療性的騎馬課程或是其他的動物課程擔任義工，有些小孩會想要從事與動物有關的行業，有些則開始飼養寵物。

　　設計這項活動之目的主要是教育及休閒，然而，在治療方面的成效確是無庸置疑的。「它並非是這項活動的主要目標」席格夫說：「不過，卻是一個衍生的產物，而且效果顯著。」而近來的研究結果也佐證了他的想法，根據數據顯示，殘障者從觀察或撫摸身旁的寵物中，確能得到情緒上的慰藉。

　　藉由動物進行治療的理念在於與動物的互動，特別是撫摸接觸，最能打破心理的障礙。對殘障者而言，身體上的殘障並不會限制他們的人生，反倒是一些看不見的殘障，像是情感或是心理的不安，特別是來自周遭的人對待殘障者的態度，會使殘障者對外界豎起藩籬。

　　根據動物園方對這項活動所進行的調查顯示，人類與動物的接

觸能夠突破藩籬的緣由有數項；首先，感官方面的體驗，像是磨擦大象的鼻子，不僅提供殘障者一個迥異於日常生活的經驗，同時更藉由這種嶄新而強烈的感官經歷，提昇他們自我的世界，特別對於那些缺少一種或數種感官的人而言。而更重要的是，這些動物能夠完全的接納他們，且無視於他們的殘障。

席格夫同時也向動物園的員工灌輸這項觀念，他舉辦了一系列的培訓課程，參與者涵括了：正式員工、兼職員工、義工以及服務殘障觀眾的導覽解說員。

培訓課程的內容強調同理心與知識，並藉以提昇對殘障者參觀需求的了解；有時館員或義工在導覽時會有魯莽的行為，或是讓坐輪椅的觀眾需穿越教室並自行尋找方向。

為了增加工作人員對殘障觀眾的認識，園方編印了工作手冊，內容包括了面對各種不同的殘障者時，應有的舉止與解說方式。舉例來說，工作人員必須了解盲人並非聾者，因此不須提高聲音說話，同樣的，盲人也並非啞巴，所以如果有任何問題，應直接詢問他本人而非他的同伴。手冊內容中對主要的殘障類別有清楚的分類與定義，並詳列其相關知職，以及針對常見的誤解做深入探討。

舉例而言，在心理障礙這一章節裡，工作人員會了解到原來美國有八百萬人的患有心理障礙，而其中89%的人有足夠的智商可以在社會獨立生存，教導心理障礙最有效的方法之一就是反覆教導。

「說真的，這本手冊只是提供基本常識。」，席格夫說：「讓工作人員從基本常識的觀點來思考殘障族群的須求，能讓他們易於與殘障者相處。」

殘障團體可以預約參觀時間，園方並提供適合其特殊需求的導覽行程，兒童動物區通常是導覽行程的重心，因為那兒有許多觸摸式的展示，之後，還可參觀其他景點，像是人造的印地安湖，可供輪椅使用者清楚參觀海豚表演的縱觀七海（Seven Seas Panorama），可以近距離地觀看大象的厚皮之家（Pachyderm House），這個景點特別讓視障觀眾興奮；因為如果距離太遠，他們僅能看到一個灰色而模糊不清的大象，但是如果近到只有幾英呎，他們可以非常清楚的看見大象，若透過管理員的協助，甚至還能觸摸到大象。

動物園不僅針對不同的殘障團體提供適切的服務，同時並與芝加哥其他的殘障相關組織建立了長期合作關係。舉例來說，動物園為榮民醫院的中央盲人復健中心（the Central Blind Rehabilitation at Hines Veteran Hospital）提供場地，作為病人復健的訓練場所，視障的榮民每年可多次參加動物園方所舉辦的觸摸式導覽行程，同時並能免費進園區參觀，因此，他們可以試著在沒有他人協助之下獨自行動，以便為將來出院後的生活做準備。

此外，伊利諾州最大的私人精神病院河畔醫院（Riveredge Hospital）在每個月第二及第四個星期五，讓那些酗酒或嗑藥的病人到動物園義務工作，在那裡，他們還參加義工的教育訓練，很多人在出院後仍繼續擔任動物園的義工。

園中其他的活動還包括了針對個別殘障者的假日培訓課程和工作研習的機會，以及針對年長觀眾的〝銀髮族豐富之旅〞，這項導覽活動接受20人以上的團體，只需低廉的費用，即可含括門票、一場海豚表演以及享有遊園車上的保留座位。

園方目前還有一項針對無法前來參觀的人所舉辦的解說活動，而這也是園方的對外推廣活動之一；館員帶著雪貂、犰狳、臭鼬以及一些常見的動物如貓、狗、兔子等，去拜訪安養之家和兒童醫院等類的機構，解說活動中會有可觸摸的東西，同時並發放大型字體印刷的簡介資料，在活動結束後簡介資料會留給這個機構。

據統計，每年有超過6000位殘障觀眾來動物園參觀，或是參加園外的推廣活動，此外，尚有許多殘障人士獨自或與同伴前來參觀。園方並針對特殊團體的代表或是領導者進行評估調查，而所得到的回應是十分正面的；一個最近的調查顯示，所有的殘障團體領導者都表示，他們會將布魯菲德動物園推薦給其他特殊團體。儘管有如此高的滿意度，館員仍持續推動在芝加哥地區組成一個顧問團，以便能持續致力於改進動物園為特殊團體的服務，目標之一就是確保政府補助與私人贊助都能長期支持園方，以使布魯菲德動物園為特殊團體的服務能在未來持續不輟。

Chapter [2] 麻州

波士頓市兒童博物館

The Children's Museum,
Boston, Massachusetts

「假如你不能.....？」(What If You Couldn't?) 是波士頓兒童博物館最受歡迎的常設展示廳之一，它主要的目的是讓青少年能夠了解，並親身體驗殘障者的日常生活狀況。有一個展示是讓孩子坐在輪椅上，並試著學習在斜坡上操縱它，另一個展示中，這些孩子可以動手操作一副調整到適合大眾使用的義肢，或是，試試拄著金屬拐杖走動的滋味。此外，他們也可矇著眼睛在一道混合著不同材質的牆面前行走，親身感受到失去視覺的混亂。雖然這些"殘障"的體驗不具威脅性同時也很短暫，然而，孩子們可以從中感受到殘障者每天所需面對的障礙和困難。

「假如你不能.....？」展示自 1979 年開始規劃，「它是一個里程碑」擔任特殊需求計劃的承辦人員喜兒 (Nona Silver) 說道：「這項展示計畫走在時代前端。」這項展示計畫尚推出一項巡迴展，並前往全美各博物館和社區中心展示，且目前仍在巡迴中，此外，在 1990 年一月時，在展示中並增設了一個以手語解說的童話故事影片。

另一個展示「我的媽咪坐在輪椅上」，則讓觀眾對於殘障者又有更深入的認識，展示中使用了黑白照片來說故事，主角名叫菈晴 (Rosemary Larkin)，她是位四肢麻痺的殘障者，故事內容敘說她決定要有一個小孩，並且撫養她長大的過程，她的女兒叫做蘿瑞菈 (Lorelei)。喜兒說：「我想這個展示感動了許多人。」

　　這項展示吸引了許多觀眾，同時也讓觀眾能更敏銳的感受到殘障者的需求；波士頓兒童博物館不僅達到和其他人相同的成果，同時也將持續推動下去。

　　波士頓兒童博物館在 1913 年由科學教師局（Science Teacher's Bureau）所創立，位於鄰近波士頓西南區（Jamaica Plain）的一棟政府建築物（Pire Bank）中，同時也是美國第二悠久的兒童博物館，擁有自然史文物的收藏，服務項目包括有：展示、演講、借展、幻燈片解說，並有一間圖書室。自 1916 年起，即為視障與聽障兒童提供一些課程。

由於成長迅速，博物館因而被迫放棄舊址，在 1975 年與交通博物館合併，購置一座位於波士頓濱水區的廢棄工廠，並重新改建了這棟1888年的建築物，增設收藏庫以收納館內的50,000件收藏品，其中有30,000件為文物，20,000件為化石標本。新的展示花了約四年的時間籌建，在設計與整建的時期，「無障礙空間是重要考量因素之一。舉例來說，在維多利亞式房屋的展示中，通常沒有可供輪椅通行的廊道，但在修建時，我們確保輪椅能夠通過。」喜兒說。

　　其實，博物館希望在先前整建時即納入無障礙空間的考量，而非日後再行追加。在館中的參觀動線上沒有擋路的邊欄、階梯與突出物，在出入口輪椅可以通行無阻，並有可通往各個樓層的電梯，電梯中的服務鈴位於輪椅使用者可碰觸的高度，並有點字說明。飲水機和電話亦適於輪椅使用者的高度，洗手間亦然，並播放有不同文化的音樂。為聽障者而設的老式文字電話機已為新式

設備所取代，它提供一天24小時的服務，並可提供活動預告，所以，聽障者所獲得的資訊和其他正常人一樣。

很多博物館也有相同的設施，然而真正使波士頓兒童博物館有別於其他者，是因為它提供了自內心裡發出的誠摯邀約，而不僅僅是硬體而已。

當觀眾踏入館中，他們可以立即感受到自己是如此地受到歡迎；在大部份的博物館中都有許多警示號誌，禁止觀眾去碰觸展品，但在此地，觀眾不僅可以觸摸，更能去推拉、操作、攀爬、探索以及體驗，除了玩具大廳那些玻璃櫃中展示的洋娃娃、娃娃屋和玩具兵以外，所有的展示都可以觸碰。孩子的喧鬧聲充滿在「巨大的桌子」展示區，在這裡電話像小艇一樣大，鉛筆像柱子一樣，紙夾則和孩子一樣高。在「拉提諾市集」（Latino Market）中，孩子可以扮演店員，去嘗試比較不同動物的骨頭，或是爬上一個二層樓高的雕像，或製造海浪，觀察海浪碎去的狀況。在館中，孩子可以學習到健康、建築和科學相關的知識，同時從中得到許多樂趣──從館中高分貝的喧鬧聲即是有力的證明。

從館中針對不同文化所推出的展示之數量，可以看出館方的理念；在這類展示中最受矚目的是Kyono Machiya，這是棟有150年歷史的日本絲綢商的家屋，它在日本京都被拆除，並運到館中

由京都的技師重新組裝，伴隨在其周遭的街道和花園，提供了觀眾一個難得的機會，能藉此了解日本的生活方式與建築型態，以及現代與傳統生活型態的對比。

美洲原住民的展示，則幫助孩子了解在羽毛裝與戰服的刻板形象之後，原住民的過往歷史。在展示區一角，是一座可以容納8到10個小孩的大會場，另一個角落則有一座小型的現代房子，上面繪著真人大小的印地安人穿著牛仔褲及T恤，當觀眾了解到今日印地安人的現況時，同時也能體會到他們的傳統價值，那就是尊敬大地和自然萬物。

維多利亞式房屋原來稱做「祖父母的房子」，現在改名為「高特人的房子」（The Guterman's House），房屋內的傢俱、食物和裝飾品重現了在二次世界大戰前，一個猶太家庭的生活情，孩子可以探索這座由博物館二樓延伸到四樓的房子，其中包括了一個地窖、一間客廳，和一個滿是另一時代珍寶的頂樓。

「孩子的橋」（Kids' Bridge）是一個新的展覽，旨在提供關於偏

見、種族與文化的豐富體驗。這座橋全長46英尺，它引導觀眾走向一個充滿戲劇性，並以波士頓為背景的環境，觀眾可以透過二個螢幕和一個電腦控制的軌跡球，參與尋寶遊戲，並有五位來自於不同民族的小孩作為嚮導一同探險。無論是在Revere搜尋柬埔寨人的食物，或是在Roxbury找尋一個非洲裝飾品，亦或是玩一些跨文化的遊戲，孩子們都藉此對不同文化有新的了解。

「對於那些即將成為廿一世紀主人翁的孩子而言，從書本上學習，和用眼睛去看、去感受到自己是這多元文化和族群的社會之一員，這兩者是同樣重要的。」館長布瑞邱（Kenneth Brencher）說。

「我們的目標是希望能吸引不同的觀眾族群，而殘障族群是其中之一。」喜兒說。在學校上課期間，博物館每個星期三上午的時間是保留給特殊團體，通常會安排一個團體在上午九時三十分到館，另一個則在十時三十分，為了確保這些孩子參觀的最大效益，每一個團體人數不會超過30人，並有數位導覽人員陪同。

導覽人員是這項週三活動的成功之鑰；他們受過密集的訓練，能夠針對不同類別的特殊觀眾進行導覽，例如為聽障者或是識字障礙者進行導覽。這些導覽人員是支薪的館員，其中許多人都有協助殘障者的豐富經驗，有些並懂得手語。所有導覽人員每周需參加例行的訓練課程，課程內容包括各個特殊需求的特殊領域之規範，以及團體討論，同時交換工作心得及經驗。

導覽人員會適當地調適導覽行程，以便順應不同觀眾的特性，讓他們都能夠獲得最大的樂趣和效益，同時，他們須在兒童觀眾到達博物館的數分鐘之後，立即判斷要如何進行解說。

　　殘障兒童可以用多種方式來參與館中的活動，舉例來說，視障的小孩也許會比較喜歡「巨大的桌子」展示區，他們可以玩玩大電話上的大按鍵，接下來可以參觀「骨頭」（Bones）展示區，觸摸不同動物的骨頭。在介紹運動與動量的「跑道」（Raceway）展示區中，展出了高爾夫球在不同型態的軌道上以不同速度運行的各種狀況，例如螺旋式軌道，或是雲霄飛車式的軌道，視障觀眾可以感受到球與軌道，同時聽到球從起點滾到終點的聲音。而不論是正常或是聽障的孩子，都能觀賞一部童話故事影片，因為片中提供手語的旁白。

　　有時，這些孩子所獲得的參觀體驗豐富得令人吃驚，喜兒說：「有一次我和一位老師在骨頭展示區附近交談，在那個位置有一個燈箱桌，裝有X光設備，那位老師班上的一個小男孩跑過來，開始指出每根骨頭的名稱，顯然，他已經認識所有的人體骨頭了，這位老師吃驚極了，幾乎難以置信，她說這個男孩在課堂上到處亂跑，從沒好好坐下呢！」

　　「來此參觀的有些小孩是課堂中的問題人物，然而在博物館中，他們並沒有明顯的問題發生。當我們將他們帶到展示區時，老師常常會提醒我們，要好好看住這個小孩哦，但是，到後來我們發

現，什麼事情也沒發生。」

除了展覽之外，博物館每週五晚上會邀請一些客座藝術家做音樂及說故事的表演，典型的表演活動如：由溫斯頓（Erik Wikstrom）主持的「神奇：不可能中的可能」（Magic: Possible Impossibilities），由波蘭斯基（David Polansky）主持的「遇見

作曲家」（Meet the Composer），以及由法蘭克（Wendy Frank）表演的「木偶的神奇旋律」（Magical Melodies with Puppets），每個月至少有一次表演是針對聽障兒童而舉辦，同時，博物館還贊助波士頓大蘋果馬戲團的表演，因為該團提供多項有手語解說的表演。

博物館還與殘障藝術組織（Very Special Arts）合作，舉辦為期一天的兒童藝術嘉年華會，約有20位當地的藝術家會進駐館中，並有超過600位特殊或正常班級的兒童參與，嘉年華會包括了繪臉、木偶製作、陶器和表演藝術四個不同的課程，在藝術家的指導之下，這些兒童可以盡情發揮他們的創造力。

每週三上午的活動，每年大約可以服務2,000名左右的成人與兒童，其他的殘障觀眾大都與家人一道前來，或是參加夏令營活動，然而，受到博物館這些活動的影響的人數，是遠超過上述這些參與活動者的。

要在博物館每年5.9億美元的經費中，明顯界定出有多少是用於特殊觀眾，其實相當困難，舉例來說，一個針對殘障者所設計的展示，其經費通常是和其他的展示一併計算，而投入的人事費用則相當審慎，因為這類活動的影響是如此深遠。策展人喜兒以百分之四十的時間，投入於特殊活動的規劃執行，以及指導10～15名負責星期三上午活動的導覽人員。

波士頓兒童博物館對當地社區來說是一個相當有價值的資源，

特別是可供學校和其他博物館所利用，自 1964 年起，該館即提供一些可供外界利用的資源，它以合理的出租價格提供整套教材，喜兒形容這套教材像是一個迷你的活動，將博物館的參觀體驗擴展到學校教室，這些教材包含了課程計劃、活動、器物、文物、模型，和一些視聽資料，有90個不同主題可供老師選擇，其中有 6 個主題與殘障者有關。這些教材可向該館的資源中心承

租，此外，該中心也廣泛收集了一些書籍、期刊和視聽教材供大眾使用。

博物館也為教師舉辦一些工作研習營和研討會，講授有關科學、文化和兒童發展等主題，而且經常會有與殘障者相關的主題，在 1990 年春季舉辦的研討會，便是將焦點放在學校應如何指導這些有特殊需求兒童進行學習。稍早之前，學習障礙兒童基金會（the Foundation for Children with Learning Disabilities）提供了三年的贊助，協助館方為學校老師進行培訓，增進他們在教導學習困難的學生時的技巧和信心。

館方也與老史德橋村（Old Sturbridge Village）一同贊助「無障礙網路組織」（Access Network），這是一個由博物館專家所組成的國際性網路組織，成員們定期聚會討論如何破除身體上、態度上，及活動安排上的障礙，以提供一個良好的參觀環境給大眾。

博物館每年大約有50萬的參觀人次，另有25萬人次，像是老師、社會工作者、家長以及新英格蘭區的小孩，則受惠於它的推廣服務。

對於喜兒來說，博物館的影響力可以從拉提諾（Latino）這個小男孩的故事中看出；拉提諾和他班上同學來參觀「俱樂部」展示（The Clubhouse），這是一個為九到十五歲的青少年所設計

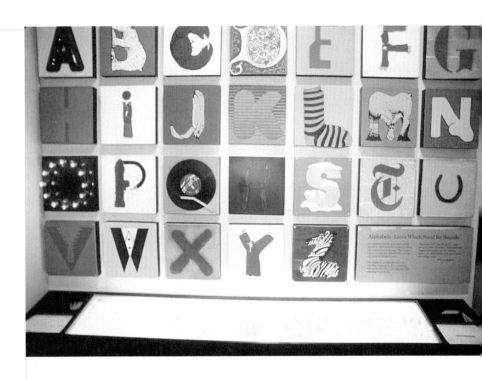

的展示，當時拉提諾來到展示區中的跳舞地板時，那裡有音樂流洩著，彩色的雷射光束在螢幕上不斷變幻出一個舞者的各種姿態，突然間，也許是受到音樂、舞蹈或是現場景象的鼓舞，小男孩開始和他的同學說話。看到這情景，他的老師驚訝的打斷了自己的談話，而吃驚的說：「我從來沒看過那孩子開口說話！」

「對於拉提諾而言，那真是一個很大的突破。」喜兒說：「在那時候，真的會使你感到敬畏。」

[3 喬治亞州
麥吉維市約翰瑪勒藝術中心
The John Marlor Arts Center /
Allied Arts, Milledgeville, Georgia]

　　如果有一個地方能被稱做充分發揮無障礙空間的精神，那無疑是座落在喬治亞州的麥吉維市（Milledgeville）；它的人口約有35,000人，是喬治亞州的舊首都，擁有一段傲人的歷史，在古老的城區中，參觀者可以看到舊的州議會廳，自1803年到1868年來，它一直是權力所在地，其上有格狀籬圍的陽台，巨大的圓柱廊，希臘式的柱子，以及古代的西洋杉。麥吉維市甚至將自己的名字變成某種建築型式的稱呼——麥吉維聯邦式，一種混合了晚期喬治亞式樣，聯邦式樣，以及早期希臘復興式樣的風格。

　　今天，麥吉維市有著多樣化且生氣勃勃的藝術活動，這些活動不僅普及於所有社區的人，而且有90%的時間是不收費的。

　　麥吉維市約翰瑪勒藝術中心就是使上述構想成真的推手；它是一個非營利機構，旨在提供當地居民多樣化的藝術經驗，以及經營管理藝術中心所擁有的資產，那是一群年代介於1810年至1830年之間的歷史性建物。藝術中心對於無障礙空間的推行，不僅非常直接，而且充分了解此舉的意義，同時還有些非常個人和小城般溫馨的味道。所有的政府機構都不會對其所做的努力嗤之以鼻，該中心所創造出的無障礙空間，總是恰好符合需求，而這是因為他們了解到那些有障礙的居民，並不希望生活上有任何的不便，或是因此而被隔離於正常生活之外。

在 1970 年代晚期，藝術中心為了拯救當時飽受威脅的歷史住宅，而在自然資源部門（Department of Natural Resource）、建設部門（Department of Housing）以及都市計畫部門（Urban Department)的資金贊助之下，購買了這些建築物。目前供做藝術活動場地的四號建物是由市民葛瑞芬伉儷（Mr. And Mrs. Floyd

Griffin）所捐贈，同時，這四棟歷史性建物都在供藝術使用的條件之下而簽約讓渡給麥吉維市。

在這些建物中，最有意義的是位於惠倪北街（North Wayne Street）201號的瑪樓之家（John Marlor House），它原是英國建築大師約翰‧瑪樓（John Marlor）的家，也是麥吉維聯邦式樣的典型建築，自1979年以來，藝術中心的辦公室及班索倪藝廊（Elizabeth Marlor Bethune Art Gallery）便在此處落腳。

藝術中心的第一要務是將建築物恢復原貌，並能達致無障礙空間的要求，「當我們剛開始接手時，建築物裡滿是各種隔間，盤踞在儲藏室的天花板及通風管道上。」其執行長辛蒂（Betty Snyder）說。

為了達到無障礙空間的要求，建築物做了一些改造；屋子前方的樓梯由五階改為六階，以使人在爬樓梯時能更安全和舒適，原本聯通主建築與廚房的通風管道被拆除，然後將廚房地板加高8又1/2英寸，並重建一條新的通風管道，以便與1830年代的舊通道相連，此外，增建了二個殘障廁所，一個斜坡道及扶手欄杆，以及一條連結殘障停車位與建築物的水泥步道。

當被問到，是否坐輪椅的人都須自後門進入建築物時，辛蒂的回答是：「沒錯，不過，我們所有的朋友都是從後門進出，而且那裡那也有停車位，沒有人從前方的正門進來，除非是那些我們不熟悉的人。」

接下來，藝術中心與特殊觀眾公司（Special Audience Inc.）合作，進行一項拍照方式的調查，清查全城中那些可能用作藝術表演、展示場所、教室和工作室的建築物，其施行無障礙空間的情況。其中有些建築物並未達到無障礙空間的要求，關於這一點，藝術中心有一個非常簡明的政策，辛蒂說：「除非這建築物已經符合無障礙空間的要求，否則我們便不使用它。」

舉例而言，由於視覺藝術家辛普森（David Sampson）要在藝術中心裡舉辦展覽，因此迫切須要增設殘障廁所，因為，辛蒂說：「辛普森不僅是一個輪椅使用者，連要移動雙手也相當困難，因此他的行動非常遲緩。有一次他示範他是如何行動的，結果，看起來就像是蝸牛一樣，當你看見他是如何去上廁所，如何轉彎時，實在令人印象深刻。因此，當他即將在此舉辦展覽時，我們非常希望能有一個可供輪椅迴轉的殘障廁所。」

本來這裡有一個斜坡道，「但是我們一直不了解它的表面過於光滑，直到有一個輪椅使用者在使用時發現。現在，每一段斜坡道上都有粗砂表面的止滑條，讓人們可以走過。經驗的累積使我們更加警覺這類的事情。」

以前，來了一位兼有視障及聽障的女士，「因此，我們就在想說當她在進入中心時，如何能夠獨立行動而不須太多協助？」辛蒂說：「我們希望她能夠自己辨別方位，而不需有人陪她，因為那會讓她覺受到打擾，就像是逛街時店員老是跟著你一樣。我們從建築師那裡取得一張圖面，上面標示出藝廊在建築物中所在的位置，我們將圖面裱上塑膠框，然後用熱溶膠將線條標示出來，這樣一來，由那些突起的線條就可以感受到方位。原本，我們只

為那個人特製了一張圖，現在，我們提供給任何須要它的人。」

　　雖然有這些改善措施，不過藝術中心的二樓仍然無法讓輪椅使用者進入，由於環狀的樓梯太過陡峭，無法增設斜坡道，而裝設殘障電梯又會破壞建築物的原有結構，因此，二樓主要做為辦公室使用。

　　如果從社區的大小來看，在鮑爾溫社區(Milledgeville-Baldwin County) 所舉辦的藝術活動實在令人訝異，不僅是因其種類繁多，更因為它能確實觸及社區的各個層面。典型的藝術活動如下：每一季有十個具特色的團體表演，像是「Town and Gown」系列演奏會中的舞蹈與演唱團體(Southern Ballet Theatre & The Gregg Smith Singers)，「Gown」是指男女合校的喬治亞(Georgia College)。並有25個藝術展覽，不是在藝術中心便是在其分部(通常是在瑪麗文生紀念圖書館Mary Vinson Memorial Library)，或是巡迴展示。展覽之一「黑女人：反抗怪異事物的成就」(Black Women：Achievement Against the Odds)，便是由館方及喬治亞教育機構(Archives of Georgia Education)，以及史密森機構的社區博物館（Smithsonian Anacostia Neighborhood Museum）所聯合贊助。

　　藝術中心到各級學校所舉辦的各項活動，效益也十分顯著，舉例來說，在 1989 年至 1990 年那一季，藝術中心推出了 16 場表演，其中包括了音樂演奏（Pandean Players），詩歌（Poetry Alive）以及說故事（Tell Tale Theatre）活動。此外，尚有 8 位

藝術家定期在學校及社區為居民安排為期一到六週的藝術課程，這些藝術家包括有：陶藝家（George Lea）、戲劇工作者（John Sohmedes）、攝影師（Larry Erb）、雕塑家（Gregor Turk）以及視覺藝術家（Tom Ferguson）。

藝術中心也為學齡兒童安排了至少四種不同的夏令營活動，每一項活動為期五天，且至少有四項在夏天舉辦，其中最典型的是科學寫作營，有生物學家及作家引領兒童探索大自然環境，並且指導他們寫下所見所聞。

自從藝術家在當地的學校及社區授課，麥吉維市的居民總是有多樣化的選擇；在1989年至1990年間該季的課程與活動就包括了：水彩畫、合唱、製籃、踢踏舞、肖像畫、手工藝品、鳥類雕刻及寫作。

許多老人也參與了活動，而那些無法來到藝術中心的人，藝術中心會安排到安養院或退休之家進行館外教學，或是在綜合中心（Unity Place），這是一個專為殘障者及行動不便的人而設的保護空間。

藝術中心也是特殊藝術嘉年華會（Very Special Arts Festival）的贊助者之一，在這裡，藝術家會協助有身體或心理障礙的兒童親近藝術與手工藝，在最近舉辦的藝術季中，藝術中心聘請到亞特蘭大的瑞德荽（Rusty Redfern）示範如何繪畫，參與的兒童因而得到很大的啟發，因為瑞德荽並沒有雙手，而是用雙腳繪畫。

藝術中心對於自身開發新構想的能力感到自傲，最近的三項活

動是將小說的方式用於藝術活動之中，而這些活動嘉惠了一些特殊的族群，如：老師、受刑人及鑰匙兒童。

對於老師族群而言，欣賞藝術似乎並不須要特別協助，不過，為美術老師而設的訓練活動，成效仍然十分卓著。由於藝術家實在無法接觸到每一位小朋友，因此，解決的方式便是教導老師將藝術融合在學校課程之中，從 1990 年起，藝術中心安排一些駐中心的藝術家在暑期課程中指導學校老師，課程內容如：如何在課堂上運用影片及戲劇教學、南方文學、以及閱讀和寫作。課程為期七天而且安排十分緊湊，即使沒有頒發受訓證書，在 1991 年參與培訓的人數即是前一年的二倍。

在 1989 年，藝術中心派遣了一名駐中心的藝術家施密德（John Schmedes），前往大河矯治中心（Rivers Currectional Instuture）教授一個即興表演的課程，由於課程成效良好，因此一些行為矯治機構便與藝術中心簽約，由施密德規劃一項實驗性質的戲劇技術課程，課程為期六周，每周進行二次研習，參加者包括了 15 位受刑人。根據行為矯正中心的助理執行長漢頓（Bill Hinton）的說法，這些受訓的受刑人，「隨著每一堂課的參與，他們的溝通技巧及自信越來越好。」他又補充說道：「從他們的改變中，我們看到犯罪離他們越來越遠。」藝術中心以及矯治機構打算繼續支持這項課程，並將內容擴大及其他藝術領域。

此外，在女子監獄中舉辦的創意寫作研習營，則有勞詩人瑪特瑞克（Al Masterick），以及小說家寇芙（Judith Ortiz Cofer）的

參與，很多獄中受刑人的創作十分優秀，藝術中心甚至考慮將這些作品集結出版，後來，這個想法轉變成一個更好的計劃。辛蒂解釋說：「我們在城裡有一個作家組成的團體，可以和這些受刑人作家一起合作，我們計劃以鮑爾溫社區的作品之名出版，同時，並不標明哪些作家是受刑人，文章中只會有作家的名字而沒有地址，因為重要的不是他們住在那裡，而是他們的作品是如此優秀。」

在 1991 年 9 月開始推出課後學習的藝術課程，課程中有非洲舞蹈及講故事人佛古森（Deborah Ferguson），這項課程使得駐中心的藝術家有了新的工作領域，就如同課程的名稱一樣，這項課程在學校放學後進行，課程的主要對象就是那些下課後無處可去的鑰匙兒童。

在麥吉維市的藝術活動是如此地熱鬧，不僅要歸功於藝術中心，同時還有那些提供贊助的團體，包括了：麥吉維市政府，鮑爾溫社區學校系統（the Baldwin County School System），喬治亞藝術委員會（the Georgia Council for the Arts），藝術教育者組織（the Artists-in-Education Program），瑪麗文生紀念圖書館（the Mary Vinson Memorial Library），喬治亞人權委員會（the Georgia Humanities Council），南方藝術聯盟（the Southern Arts Federation），以及喬治亞大學（Georgia College）。此外，這些機構還擁有非常活躍的義工群，藝術中心之友（Friends of allied Arts），以及麥吉維市政府大力的支持，它贊助了約47%，將近20萬元的預算。對麥吉維市約翰瑪勒藝術中心而言，隨著其資源的善加利用，以及觸及各個層面的藝術活動，該中心的聲譽正在逐漸累積中。

[4 加州 洛杉磯市自然史博物館

Natural History Museum of Los Angeles County, Los Angles, California]

當這六位自然史博館的解說員將解說牌、錄影帶及文物等物品，收拾並裝載到貨車後，便揮手向這一群越來越活潑的朋友道別，這群接受解說服務的朋友，可能是行動不便無法前來博物館參觀的孩子，或是住在安養院中的老人。

任職三年，負責殘障兒童與老人特殊教育的承辦人員碧文頓（Jennifer Bevington）說：「老師們告訴我，在博物館的解說活動之後，孩子們之間的交談變多了，老人的推廣教育活動也有同樣類似的成果。住在安養院這類機構中的老人，親人通常很少來訪，他們時常感到孤單，而忽略了最親近的其實就是每天在他們周遭的人。我們經常發現，在我們的解說活動之後，人們開始交流與交談。」

這兩種觀眾群其實有共同之處；他們都無法自行前來博物館參觀，殘障兒童有生理上、心智上、情緒上和發展上的障礙，老人們通常有疾病方面的問題，因而很難出門旅行。如果他們想要有接觸博物館的經驗，那麼博物館必須主動來接近他們。

實際上，自然史博物館提供了許多相當吸引人的對外推廣教育活動，而參與活動的觀眾通常也有熱烈的反應；在殘障兒童活動部份，一共有三項，分別是恐龍、海洋世界和北美洲的哺乳動物，在一群九人的小團體中，解說員首先利用一個大型塑膠製的解說板，敘述一些基本的觀念，再加上一些明亮的彩色解說圖

片，以博取觀眾的注意力，然後要孩子們用手去碰觸，用鼻子去聞聞看，去把玩文物和標本。

　　舉例來說，有關恐龍的解說活動，孩子可以拿著一枚巨型牙齒，或是有三英尺長的恐龍頭蓋骨的複製品，一些真正的恐龍遺骸，和一個巨大的海龜殼，有時候這些孩子還會背著海龜殼四處走動，假裝他們自己是海龜。

這些解說用的模型和文物是有價值而且會損壞的,然而,博物館願意去冒這個險,因為最重要的是孩子能夠自得其樂,且有所收穫,碧文頓說:「隨著使用時間的增加,有些骨頭必須被更新,因為這些骨頭得到太多觀眾的喜愛了。」

　　「海洋世界」則是充滿感覺經驗的解說活動,它提供了一個新的視野,碧文頓說:「每一件物品聞起來都有海洋的味道,我們提供了一罐磷蝦,小孩子對這十分著迷,因為地球上最大的哺乳動物吃的竟是如此微小的生物。我們還提供一些脊椎和無脊椎的動物模型,還有一些像是鯊魚皮和鯊魚卵的東西。

　　「有些住在海濱的解說員會拿來一些有海的氣息,像是大海藻或是海砂一類的東西,這常使得那些從未親身看過海洋、住在市區的小孩非常驚喜,還有各種魚類的模型、白頭翁和海貝一類的東西。我們也介紹一些臨海生物如海鳥、海洋的哺乳動物和潮間帶的生物,這些都是生態的一部份。」

　　以4到6人為一組的解說員,針對不同種類障礙的小孩,每個月三次前往洛杉磯各個不同的學校提供解說服務,每次活動大約須時一個小時,因此,一個上午可以完成數個班級的解說。碧文頓強調這些解說員必須一起工作,如此,才能夠仔細照顧到每一個小孩,因為這些解說活動的進行,需要很多的協助。

　　活動之後,解說員通常會去喝杯咖啡小憩,並且討論這次的活動是否有任何問題,或有任何的孩子需要特別的協助和關心,碧

文頓說：「解說員需要聽取彼此的意見，他們之間有一份真正的友誼。這樣的工作不是每個人都能勝任的，照顧和教導這些孩子真的非常不容易。」

這些活動的另一個特殊之處，是活動內容乃由義工和博物館館員一起規劃發展的。碧文頓說：「這個活動的模式源自於匹茲堡卡內基中心（Pittsburgh, The Carnegie），館內有一名解說員就是來自於該中心，她複製了活動的模式，並因應環境的不同而做了一些修正與調整。工作小組的核心成員是15位解說員，他們在使命感的趨策之下，全心投入於辦理活動。」

　　為了這些對外推廣教育活動，博物館對解說員進行不尋常的訓練；首先，他們必須通過全年的訓練課程，而後，在館內擔任滿一年的導覽解說工作，擁有這些經歷之後，他們才有資格去參與館外推廣教育活動，而還有經驗更深厚的解說員來指導他們。碧文頓表示：「他們必須學習培養敏銳的觀察力，花費許多時間向那些經驗豐富的前輩學習。我們在這方面做得很成功，受教於一個經驗豐富的人，真的是十分有效益。」

　　舉辦活動的部份贊助資金來自於國家醫藥組織(National Medical Enterprises)，該組織在 1985 年資助了 22,000 美元使得活動得以開辦，並持續三年。這筆贊助金支應了貨車費用14,000美元，展示說明板 4,500 美元，手冊印製 2,000 美元，和一些供人觸摸的物品的製作費用。在 1990 年也有一個相似的贊助，主要是用來支付工作人員的薪資和活動的部份開支。每年預算為 15,000 美元的舉辦活動費用，則來自於博物館的經費。

　　以老年人為對象的推廣活動的花費則相當經濟，初期的資金大都是捐贈而來，貨車是由比佛利公司（Beverly Enterprise）所贈

送，而有些文物是由個別的團體或個人所資助，博物館所需負擔的是活動的基本開支3,000美元，還有每年大約10,000元的預算。

這些對外的推廣活動有許多相似之處，然而，相較於以兒童為對象的活動，老年人的活動卻更為特殊，並更具難度，因為博物館的目標是社會中為人所忽視的少數族群，是那些住在安養院這類機構的老年人。

辦理這樣的活動是一個慎重的決定，碧文頓說：「當你一旦下定決心，你必須認清自己的定位及了解做事的意義何在。我們是這個城市的博物館，而我們的使命就是盡其所能的服務更多的人，我們必須自問：博物館的目標觀眾是哪些人？是那些從來未曾參觀過博物館的人，還是非常熟悉我們的人，或者是那些根本無法前來博物館參觀的人。我們最後選擇的是那些因為肢體障礙，而從未有機會參觀博物館的老年族群。」

碧文頓與另一位館員蘿森葆（Isabel Rosenbaum）一同合作規劃一些活動，蘿森葆才剛拿到一個高齡公民學的學位。不論從活動的成果，或是活動被舉辦的方式都可以很明顯的看出：這些活動都源自於對老年人充分的理解。

哪一種活動能夠吸引那些安靜的、年長的，甚至可能身體不適的老人們？碧文頓指出，高齡並不是真正的問題所在，「因為學習是永不停止，不分年齡的。根據研究顯示，雖然人的學習能力可能會逐漸衰退，但總是還能不斷的吸收新知。真正的問題是這些在安養院的老年人用藥過量或是刺激不足，所以，有時他們就是無法吸收任何東西。」

以下介紹二個獲得老人的青睞和參與的成功案例。一是「荒野漫步」（A walk in the wild），這個活動意指坐著輪椅穿越南加州動植物叢林區，解說員從博物館帶來一些當地的野生動物標本，像是臭鼬、狐狸、地鼠、兔子、蠍子以及鳥類，讓在場的老人傳閱，並鼓勵他們去觸摸這些標本，談談他們的感想，最後並放映影片，讓老人可以看看當地的生態狀況，與聽聽自然界聲音。當觀眾有了良好的回應，解說員同時也得到了肯定與鼓勵，碧文頓說：「我們將手放在觀眾的肩上，並且舉起他們的手放在那些輪流傳遞的標本上，只是藉由一些簡單的對話和感動，便可以幫助這些安養院的老人。」

　　另一個活動是「你還記得嗎？」（Do you remember when），活動內容是以 1913 年為核心，有二個背景，一個是廚房，一個是車庫。解說員以 1913 年發生的事情為話題，從戰爭爆發後，巴拿馬運河（Panama Canel）的挖掘工程，各種發明和電影工業的創始，然後再將主題縮小範圍至家庭與生活，「當時你的祖母和母親，在廚房裡做些什麼？」他們會一邊對觀眾發問，一邊傳遞一些當年的廚房用品，有時候，這些器物與今日所使用的用品相去不遠（像是打蛋器就沒什麼改變），但有些東西因時代的不同便有許多差異，像是洗衣板、吊襪架，或是用來在大桶中攪動衣服的木製洗衣棒。

　　「最精彩的部分是服飾。」，碧文頓說：「一件是家居服，通常是在家工作時穿著，我們也有戲服外套，搭配著頭巾與鴕鳥毛，以及一件游泳衣，那真是一件大東西，有著燈籠褲、襯衫和大帽

子，有些解說員偶而會穿著這些衣服，每次總是令大家捧腹大笑。」

「有些人會開始討論起當年的流行歌曲，如果還記得的話，偶爾他們會唱起那些歌來，有時解說員會問觀眾當年他們人在哪裡，有些人當年是移民，他們會說出自己移居美國的故事。」

碧文頓也直率地表達出對某些養老院的擔憂，「我們曾走訪一些安養院，從那些到處嗅得到尿臭味，每位老人都穿著尿片綁在輪椅，而且時常用藥過量的安養院，到一些真的很棒的地方，像在西好萊塢區就有位非常迷人而活潑的院長，每年她都邀請男性脫衣舞者來表演，我可以告訴你，那真是具有爆炸性的威力，而這不過是她所作所為的一小部份而已。她將無比的熱誠投注在這份工作上。」

要鼓勵解說員來從事推廣教育的活動，並不是一件容易的事，碧文頓洞悉它的困難在於：「大部份的解說員都是樂在生活並有所成就，但是，當這些人走進安養院時，他們同時也必須面對自己，這很不容易做到，因為這些活動所觸及的是每個家庭終須面對的問題。」

「對於這些安養院的老人來說，這些活動最大的影響之一，便是他們感受到被關心、被注意，他們所帶給你的表情是言語無法形容，似乎是在說：『你們終於注意到我了，我是一個有尊嚴的人。』」

[5] 伊利諾州 芝加哥市史特猶太博物館

Spertus Museum of Judaica, Chicago, Illinois

在史特猶太博物館中,有六位年長者圍桌而坐,正仔細觀看一些猶太人日常生活的器物,其中有:用藍絲絨包裹、並以銀箔裝飾的猶太經卷,安息日和修殿節所用的燭台,以及一件祈禱時穿的袍子。這些觀眾是特地來參加專為年長者及視障者所設計的「休閒導覽」;這個活動有別於一般的導覽,因為觀眾不必四處走動參觀,只須舒適地坐在椅子上,等待精心挑選的文物送到他們面前。

該館的收藏品主要是猶太人的器物,包括:在宗教聚會中使用的器物,復活節或是節慶時教徒在家中使用的器物,以及一個猶太教徒在一生中從出生、成長、結婚、死亡,乃至喪禮中所用的器物。這些收藏品的年代大多為十九或二十世紀,除此之外,還一些年代古老的收藏,會在特別節日時公開展出。

對於一些年長的猶太教徒而言,能夠觸摸這些文物,是具有特殊意義的,「有一些使用到這些器物的儀式,曾經是不允許猶太教婦女參與的。」資深的教育研究員萊馥(Kathi Lieb)說:「到了後來,許多美國的猶太社群才逐漸改變。所以,當我們將猶太經卷遞給一個70或80歲的老婦手中時,那可能是她這一輩子第一次的經驗,所以,可想而知她會多麼感動!此外,對於那些住在安養院而沒有機會參加猶太聚會的男性教徒,或是只有在主要節慶才參加聚會的人,這個經驗也一樣難忘。」

「館內也有一些人們較熟悉的藏品，像是為窮人募款的金屬捐獻箱，在逾越節使用的餐盤等。我們通常不會挑選常見的文物，我們喜歡讓他們驚喜，這就是博物館令人著迷的地方！」

這個導覽活動的構想源自於 1980 年代早期，那時萊馥第一次接觸到 "盲者的視界"（Horizons for the Blind）這個機構，我請教他們的執行長卡菲莉（Camille Caffarelli），是否能和我們碰個面，來協助博物館更適切的展出和詮釋文物。我們兩人的會面十分愉快，我讓她了解猶太人的生活及儀式，並且為她導覽整座博物館，參觀結束後她告訴我：「所有的展品都很棒。不過，這些事物你大可坐在房間裡告訴我就好了，因為這些文物都放在玻璃櫃中，無法讓人接觸。」在這次會面後不久，「我們挑選了一些立體形狀的，而且摸起來有趣的文物。」萊馥說：「並請卡菲莉指導我們的導覽人員，教導他們如何為視障者進行口語解說，同時並和導覽人員實地演練。」

「這件事情後來引發我另一個靈感，那就是這種特殊的導覽方式，應該也適合那些年長者，以及坐在輪椅上的觀眾，有些年長者根本無法站著參觀一個小時。所以，我們發展出這項創意的「休閒導覽」，除了殘障者之外，那些坐輪椅的觀眾，以及無法久站的人，都能享有良好的參觀經驗。」

博物館還有另一項特殊的導覽服務，名為「扶手椅幻燈片導覽」（Armchair Slide Tours），是特別為那些無法到博物館來，較重度殘障人士而設計的，該館接受退休之家及老人之家此類機構的邀請，到府以幻燈片與口語解說的方式，介紹博物館的藏品。這項服務提供的對象包括所有退休之家的老人，而不僅限於猶太

人。「我們用這種方式搭起一座溝通的橋樑,將猶太人的生活介紹給那些非猶太人瞭解與欣賞。」萊馥說:「觀眾對這項活動的回應非常好,也讓我們覺得此事很有意義。而且,我們因此認識了許多朋友。」而自從一些義務導覽人員開始自付交通費之後,對博物館而言,這項服務的開支幾乎等於零。

博物館有時也為年長者舉辦他們的藝術作品展,這些作品多半來自於安養之家或其他的老人機構,而博物館提供這些藝術家一個展示作品的機會,並讓他們能夠得到認同。

博物館位於芝加哥市中心一棟十層建築物的三個樓層中,由於一樓與街道的水平高度一致,因此便於使用輪椅的人出入,電梯的按鈕設有點字說明,寬廣的走廊及平坦的樓面設計,使得展示室成為無障礙空間,常設展示所用的玻璃文物櫃,即使坐著參觀也不會有觀看障礙,一樓用來播放影片的地方,也便於輪椅使用者進出;綜觀言之,該館是十分慎重的進行無障礙空間的規劃。

1991年,伊利諾州藝術委員會(Illinois Arts Council)的無障礙空間顧問傑菲(Eunice Joffe),應邀來該館參觀無障礙空間設計,「我們和顧問都覺得對殘障觀眾而言,本館並無參觀障礙——只除了聽障觀眾。」萊馥說:「從來沒有人發現這個問題。」傑菲還對館員及義工們做了一場演講,指導他們如何與不同狀況的殘障者相處。在這一年,博物館開始舉辦以無障礙為題的訓練課程,「我們請到芝加哥所有館所的資深教育推廣研究員一同參與,因為我們覺得對所有館員而言,這是一個重要的課題。」萊馥說。

「文物中心」（Artifact Center）位於博物館的地下樓層中，這個展示是在室內儘量真實的重現考古挖掘遺址，館內資深研究員瑪可仕（Susan Marcus）說：「這也許是第一座在博物館內的考古遺址展示，我們盡量讓展示呈現真實狀況，以提供真切的參觀經驗。我曾看過為數不少的格狀考古坑洞，其中掩埋著許多文物，通常大約有一層樓深，但我們的遺址是一座山，高有 10 英尺，32 英尺長，12 英尺深，前方有 11 個不同的壕溝，每條溝渠都有不同的年代層，並埋著符合歷史年代發展的文物。」

「現在，該展示室有六條可供行動不便的觀眾參觀的溝渠。此外，如果觀眾是使用輪椅或拐杖，或是有視覺障礙，而不想爬上

山頂，還是可以擁有和其他觀眾一樣的參觀體驗。」瑪可仕說。

在溝渠中挖掘的活動並非僅為兒童設計，而是針對所有觀眾，可是，小孩子愛極了這項設計，包括那些坐輪椅的小孩，以及有學習困難的小孩。瑪可仕說：「那是因為他們可以毫無困難地的參與，只需要動手去做，即使是有多重障礙的小孩，也可以做得很好，而不會感到挫敗。每個人都可從中學到一些東西。」

「小孩子可以在這裡進行挖掘古文物，他們還會紀錄下發現、並畫圖分析，除了不進行研究室分析之外，整個過程就是完整的考古探掘。我們很坦白地告訴他們那些文物只是模型，並非真正的古物，所以不須將這些文物送到研究室去確認、丈量及分類。而在活動結束後，他們必須將之重新掩埋，以便讓其他觀眾也可以進行挖掘。參與挖掘的觀眾通常都會遵照指示，依著自製的地圖將文物重新掩埋，並將工作場地整理乾淨。」

「針對有學習困難的小朋友，我們會將活動方式做適度修正，如果他們覺得做紀錄很困難時，可以改用繪圖的方式，如果繪圖還是有困難，那麼我們會尋找其他方法取代，像是用錄音的方式做紀錄。我們希望所用的方式是每一個人都辦得到的。」

參與挖掘活動的通常是六年級的學生，供挖掘的文物有真有假，假的是博物館收藏的複製品，真的文物則是一些二千年前的瓦器碎片。「他們在挖掘時會工作上好一段時間，而且沒有館員在旁指導。」瑪可仕說，那些複製品包括有：3000年前的水壺及杯子、油

燈、矛頭及箭頭，以及一個希臘時期到亞歷山大時期的鋼盔。「那個有護鼻罩的複製鋼盔是由藝術家所製作的，對觀眾而言，能夠挖掘到它實在令人興奮，因為它是如此的精美，所有觀眾都很喜歡。」

文物中心的另一個特色是市集；那裡設有四個不同的攤位，藉此說明古代以色列的生活方式，包括有：貿易與旅行，陶器與黏土的應用，古代的書寫系統，以及裝備武器、護身符和裝飾品，這些展示都是參與式的，而且十分有趣。在「貿易與旅行」這一區，瑪可仕說：「主要是以遊戲的方式進行。那裡有 3000 年前用來進行交易的一些東西，而這些東西至今仍在使用，像是香料、棉花、亞麻、麥片及葡萄干等。遊戲的重點是交易品本身以及進行交易的城市，遊戲規則就像現代社會一樣，如果你成為最有錢的商人，那麼你便是遊戲的贏家。」

在「書寫古文」這一區，是以不同的方式教導兒童去書寫古老的文字；他們可以在參考的對照表上，以發音為索引，查閱2800年前人們所使用的文字符號。視障兒童可以用手觸摸這些楔形文字符號，並用繪畫的方式以手指頭寫出來，還可閱讀譯成點字的說明。

文物中心於 1989 年三月開幕，在初期瑪可仕並未料及會受到殘障兒童如此大的歡迎，「但是，我們很快的發現到：人是天生的學習者。在文物中心裡的設計及活動都是十分實際和具體的，觀眾可從接觸與聯想中學習到許多事物。兒童從參觀本館學習到許多新事物，而博物館也從他們身上獲益良多；他們讓我們了解到一些被忽略的東西，像是東西的形狀、觸感，或是溫度，兒童提供了我們一個觀察事物的不同觀點。」

6 路易斯安那州
紐奧良市美洲水族館
Aquarium of the Americas,
New Orleans, Louisiana

　　有一位母親帶著二個讀幼稚園的小孩，同時還用嬰兒車載著另一個更小的孩子，入迷的觀賞著館中精彩的「墨西哥灣生態區」展示，由於能夠近距離的觀賞鯊魚，還有各式各樣海洋生物，因此孩子們都十分興奮。在整個參觀過程中，最特別的是這位母親不需要抱起她的小孩，好讓他們能有較好的視野與觀看角度，而這是因為在水族箱前並無任何阻隔視線的東西——厚達13英吋的壓克力玻璃從天花板一直延伸到地板，且有37英呎寬。這個構想乃是由該館特殊觀眾委員會所提出，原本是為了使坐輪椅的觀眾有較佳的觀賞視野，並因而拆除了原有27英吋高的水泥基座。

　　特殊觀眾委員會的主席德布（Charles Tubre）說道：「它所展現的效果出來了。原本這個構想只是為了解決特殊觀眾的參觀問題，沒想到卻提昇了所有觀眾的參觀體驗。」

　　這個案例同時也顯現出：在規劃與設計公共建築物時，特殊觀眾委員會所能達成的效益。德布說：「在繪製第一張草圖之前，我們已將無障礙空間的觀念，灌輸給開發商及專案管理人員。創造無障礙空間的理念，已融入整個規劃的流程中，從建築設計到員工訓練，甚至還涵括了人事管理的理念。」

負責水族館營運與建造的第一任副總裁巴德勒（Clyde Butler）
說明，當這座耗資四千萬美元的水族館規劃案被提出時，當地居
民投票決定，以發行二千五百萬美元的公債來籌措經費，另外的
一千五百萬元則由負責籌設水族館的艾杜邦機構（Audubon

Institute）負責向公眾籌措。「在這裡創建出一所讓所有人都能自在參觀的世界級水族館，同時也使當地居民引以為豪，這是我們對當地社區不變的承諾。」

水族館的宗旨不只是在水箱中圈養有趣的魚兒，而是塑造特定且完整的生態環境，並使觀眾能在最近的距離，認識這些水族環境與其中的生物。四個主要的展示，重塑了下列的自然生態環境：「加勒比海珊瑚礁區」、「亞馬遜河雨林區」、「密西西比河流域區」，和「墨西哥灣生態區」。

運用委員會方式來確保水族館達到真正無障礙空間的構想，來自於亞蘭寇博士（Molly Alarcon），她是一位主攻特殊教育的醫生，而且是委員會成員中唯一不是殘障的人士。為了從不同的殘障團體中，尋找合適的代表成員，亞蘭寇首先打電話給明納瑞夫婦（Gerald and Ida Minlaret），他們以前曾擔任過老師，同時還有一個自閉症的孩子，他們又引介了現任主席德布，德布是路易斯安那州公共衛生署（Louisiana Department of Public Health）的工作人員，他提供了如何與建築師合作，以確保建築物成為無障礙空間的經驗。其他的成員則陸續加入，有：本身是盲人的數學教師米克蘭博士（Robert Mclean），州立盲人機構的承辦人員否士托（James Forstall），本身亦是盲人。德布說道：「針對特殊觀眾的需求，每一位成員都提出許多意見，以及相關的技術知

的解決方案，從來沒有發生過真正的對立狀況。」

當建築物的結構體建造完成時，委員會做了一次預覽。隨後即與負責展示的主管一同工作，他們檢視了所有的比例模型，委員會並發函邀請殘障團體代表一同來審查這些模型，亞蘭寇博士說：「這是一次非常重要的會議，因為有位殘障獸醫針對安全規劃指出了一個相當嚴重的問題；假設發生火災，館方如何將坐輪椅的觀眾從二樓疏散到一樓？為視障觀眾你準備了鳴叫器，對聽障觀眾你們準備閃光訊號，但是針對使用輪椅的觀眾，你們準備了什麼呢？在會議之後，針對此一問題，水族館員工發展出一套緊急應變計劃。」依照該計劃，在緊急情況下使用輪椅的觀眾會被引導到二樓陽台，在那裡他們安全無虞。若情況緊急，他們亦可經由消防人員的協助，迅速撤離現場。

負責建築工程的巴德勒，同時負責執行特殊觀眾委員會所提出的改善方案，他十分熱衷於這項能夠提昇殘障人士參觀效益的工作。他說：「館內有好幾個互動式的解說設備，必須使用按鈕或把手來操作，不過，只需要很小的力量，因此對所有人來說都沒有操作困難。另外，在「墨西哥灣生態區」及「加勒比海珊瑚礁區」展示，都各有一台展示用攝影機，攝影機固定於一組貫穿水箱寬度的軌道之上，你可以用搖桿來控制它，且攝影機可做180度的旋轉，所以它可涵蓋水箱從上到下的所有水域。當你想觀看

某個局部區域時，可按下"拉近"功能，從靠近觀眾的電視螢幕
上就可看到攝影機拍下的畫面，小孩子愛死了這個設備。」

　　水族館目前正試驗二種不同的操作方式，巴德勒說：「一種是
搖桿方式，這只需要手指頭輕輕的力量，另一種是按鈕方式，操作
方式就像按門鈴一樣。我們正在研究那一種方式觀眾較易操作。」
除了在「墨西哥灣生態區」展示中，將五十萬加侖水箱的參觀視窗
由天花板延伸到地板之外，水族館中所有其他的小型展示，其參觀
視窗高度由地板起算，均不大於21英吋。巴德勒繼續說道：「如
此一來，坐輪椅的觀眾不需要特別的坡道設施，便可和其他觀眾一

樣有同樣的參觀體驗。另一個例子是在觸摸池區，幼童並不需要導覽人員幫助，就可以直接將手伸進池中觸摸海星，或是撿拾無刺的龍蝦，同時進行觀察，這樣可讓遊客的參觀障礙減至最低。」

針對聽障觀眾，館方在所有播出的影片中加上解說字幕，影片主題包括了：「魚是如何行動的？」、「鯊魚的生命週期」，以及「熱帶和溫帶企鵝的差異何在？」等等。

此外，水族館中有三位手語導覽人員，其中一位是義工，另二位是由州政府派遣每月一次到館服務。州政府聾人協會聯絡人，同時也是水族館特殊觀眾委員會成員的弗斯特（James Forstall），負責編輯水族館的每月服務簡訊，其上並刊載了水族館可提供手語導覽服務的時段，這也讓計劃前來水族館參觀的團體觀眾，能夠事先預約相關服務。

水族館總共有800位義工，所以任何須要導覽的團體觀眾，在他們預約並購買門票時，導覽人員就已知道這個團體到館的時間，並能安排適當人員來接待他們。門票在售出時，就已標示上進館的時段，以便控制進館人數，所以水族館內從未有過多的人潮，參觀動線也常保通暢。巴德勒說：「坐輪椅的觀眾通常需要較長的參觀時間，所以當館內觀眾較少時，我們會將坐輪椅的觀眾分成較小的群體，以方便他們參觀。無論何時，我們都很清楚

館內正有多少觀眾，在有坐輪椅的觀眾進館參觀時，我們會特別注意不要讓太多的一般觀眾進館。」

亞蘭寇博士說道：「有人問我，為何一個盲人會想參觀水族館呢？其實，這跟一般正常觀眾參觀水族館的理由一樣，來這裡欣賞魚類，來感覺牠們，來聽聽牠們的聲音，來看看牠們——盲人會在腦中創造出視覺印象。」為了幫助盲人創造視覺印象，館方正進行盲人語音導覽錄音帶的製作。

「對視障觀眾導覽解說時，必須特別注意某些細節，例如，對視力正常的觀眾你可以說，看看那隻大魚。但對盲人而言，你必須說：水箱中有隻和你手掌一樣大的魚。我們正發展一套新的館內語音導覽錄音帶，不只是針對每個設施做相關資料的解說，而且特別注意口語敘述的方式，以便使其也適用於盲人觀眾。我們期待這套語音導覽系統能夠協助盲人更自由的探索水族館。」

這座水族館從裡至外都是科技的產物，連洗手間也是。巴德勒說：「廁所中每項設備都是電子式的，你走到洗手台洗手，水會自動流出來，你使用完馬桶，會自動沖水，每一個坐式馬桶、飲水機和公用電話，都能符合肢障者的使用需求。對正常人來說，只要多彎一下腰即可使用這些設施。」

要精確的計算出建造無障礙空間的成本花費，是十分困難的。德布說：「為了達到這些特殊需求，我們多花了總建館費用的百分之一，但在開館營運後，我們發現達到的效益遠大於最低要求。」巴德勒說道：「墨西哥灣生態區」展示裡從天花板延伸到地板的壓克力玻璃，增加了此區壓克力玻璃百分之十四的經費，

但十分值得，因為壓克力玻璃裝設完成後，維修經費是很低的」。亞蘭寇博士則表示：「將建築物規劃成無障礙空間，其實可節省經費，因為毋須再耗費金錢去進行改善。同時，因為它適合所有人使用，從長期使用的角度而言這些花費是十分有效益的。」

建築空間上的障礙或許已被克服，但特殊觀眾委員會並不認為他們的工作已經結束，「大家都認為已經做得很不錯了，因為門的寬度已經加大，斜坡走道的坡度也很適當，參觀標誌也很容易識別──沒錯，是做得不錯，不過，我們還有許多事要做。」

其中一件事情是館內員工的雇用，水族館目前只有二位自閉症的員工，但大家都認為館員中必須有適當比例的殘障員工，最終目標是殘障員工能擔任管理階層的工作。

員工的訓練亦是特殊觀眾委員會關注的事項之一，亞蘭寇博士說道：「你可以擁有最好的硬體設施，世界上最符合無障礙空間標準的建築，但若是你的員工、義工和經營博物館賣店的人員，從未接受過相關理念的訓練，那麼你先前所作的一切都是白費功夫。」特殊觀眾委員會目前正為義工訓練手冊撰寫幾個章節，並安排適當的訓練課程給員工和義工參加。

這些訓練課程著重於如何突破態度上的隔閡，巴德勒說：「委員會試著將某些以前慣用的辭彙去除，例如，使用"殘障"這個字就比"殘廢"這個字眼來得適當，因為它意指某些人只是無法做到某些事，而非被視為殘廢。」

　　義工訓練課程著重於如何自然地與特殊需求的觀眾溝通。在每年舉辦的兩次全天候訓練課程中，其中有一個小時是針對特殊觀眾的需求做解說，在第一次的訓練中，由癲癇症基金會（Epilepsy Foundation）的人員解說如何處理癲癇發作的觀眾，義工同時亦互換角色扮演視障人士，並學習如何使用館方專為聽障觀眾安裝的字幕顯示電話。他們同時學習到，主動協助特殊觀眾永遠是正確的，而且，若是觀眾拒絕他們所提供的協助，亦不應感覺受到侮辱。

　　巴德勒對水族館的無障礙空間感到十分自豪，同時為特殊觀眾委員會的成就，獻上無比的敬意，但他接著說：「我不希望你覺得這一切都很容易，我們經歷了無數次的會議和討論，有時會僵在那裡無所進展，而且還有許多困難的事情尚待解決。」德布認為：「做事情本來就需要取與捨。」他指出為何水族館的管理決策人員，和特殊觀眾委員會能如此有效率的一同工作：「因為我們有一個共同的目標——建造出世界級的水族館，並讓所有的人都能入館參觀，這是我們時刻銘記在心的。」

Part

II

創意的解決方法

Innovative

Solutions

[7 華盛頓州
貝恩橋島布洛德保留區
The Boledel Reserve,
Bainbridge Island, Washignton]

　　人類是大自然的一部分，是屬於宇宙中繁多而不可勝數的物種之一，大自然可以沒有人類而運行自如，但是人類卻須仰賴大自然得以生存。有鑑於此，在 1980 年布洛德（Prentice Bloedel）開始計劃在貝恩橋小島創建一個自然保留區，希望所有的人都能夠來此「從知性與感性的大自然體驗中，盡情享受與學習。」

　　布洛德和他的妻子維琴妮亞在 1951 年購得這座小島，佔地150 畝的保留區位於小島的北緣之處（Puget Sound），東邊靠近西雅圖，再過去一點則是卡斯卡德（Cascades），西邊是奧林匹克峰（Olympic Peaks），有一棟法式鄉村小屋位於懸崖之上，可以遠眺麥迪遜灣的港口（Port Madison Bay near Agate Pass）。布洛德發現此處「遍佈各種木本類、羊齒類、地衣類等植物，且種類的多樣性豐富無比」，布洛德保留了約84畝的面積作為再生林，在此設有欄杆和扶手，使得人們可以走近，其他區域則是不同種類的花園、池塘、馬類保護區、峽谷以及草原，雖然這些區域都經過一定程度的人工改造，不過，這些改造是遵照著布洛德的理念，那就是人們應該是大自然的愛護者，而非征服者。

　　在 1974 年，布洛德為了將他的理念公諸於社會大眾，因而成立了一個非營利性的基金會──安博基金會（Arbor Fund），以便管理保留區的運作並能永續提供所需經費。 1986 年，主建築

改建成遊客中心，其中主要的樓面供作公共空間，辦公室則位於樓上，此外，在入口處增建一個新的建物，作為門廳和服務中心，同時，也規劃出保留區的參觀動線，不僅使觀眾易於進行參觀，且遵照布洛德的希望，那就是這些景觀必須依次展現，以彰顯其獨特性和整體性。

在1988年10月，布洛德保留區正式對外開放，並籌組了一個委員會來處理無障礙空間的事宜，歐荻森（Patricia M. Ostenson）被聘任為此計畫的負責人，他是一名專家，曾任職於西雅圖水族館負責為特殊觀眾規劃活動，舉辦無障礙空間的研習會，並擔任與無障礙議題有關的國家級委員會之成員。

推動無障礙空間的工作迅即展開；以500元美金的低廉費用，保留區安裝了一種顯示來話的電話機（Telephone Text），以供聽障觀眾使用，同時並為員工和義工印製了一本 "布洛德保留區的無障礙空間" 手冊，該手冊由華盛頓圖書館（Washington Library）協助編輯，內容主要是接待視障與其他殘障觀眾時的基本常識，以及其他應注意之處，舉例來說，在「一般接待」那一章，手冊上指示義工要「直接詢問殘障觀眾，而非詢問他的同行者」，接待視障觀眾時，無論走近或離開時，「一定要告知他，你來了或是要離開了」，以免他會因你的出現而受到驚嚇，或是不知道你已離去而發生困難。

與聽障觀眾相處時，或許他可以讀唇語，因此義工須注意「避免光線照射到他的眼睛」，與有學習障礙的觀眾交談時，要「給

予他們更多的時間，去表達他們想傳達的訊息」。這本手冊是保留區內 54 名義工的基本訓練教材，手冊中有一章在討論義工事務，且其中有一部份論及無障礙的議題，歐荻森說：「除了手冊的教導之外，其餘的便是從工作經驗中學習了。」

針對視障觀眾或其他任何觀眾，若想要自行參觀而毋需解說員的協助，保留區提供了一本自我導覽手冊，有錄音帶及書面兩種版本，書面版本並以放大且易於閱讀的字體印行。

歐荻森在西雅圖水族館的經驗讓她發現，若要發展以殘障觀眾為對象的活動計畫，最好的辦法便是諮詢他們，「這也是唯一的方法，唯有如此，才能夠避免很多意想不到的缺失。」

歐荻森花了數個月的時間和一個非正式的委員會進行討論，委員會的成員包括有：肢障者代表金葆（Mary Kimball），聽障者代表艾洛特（Maril Elliott）和視障者代表布哈特（Barrie Burkhalter）。自 1991 年春以來，這個小組持續定期開會，歐荻森說：「我們會採用他們的建議來進行活動規劃，同時並請他們來監督落實的狀況。他們也成為員工諮詢的對象，讓每個人都有機會了解工作推動的狀況，相較於由我一個人來做決策，委員會的作法顯然更加完善。」

委員會的成員是由那些經常來保留區參觀的觀眾中所挑選而出，成員之一的金葆自從 46 年前患小兒麻痺症後，便一直依賴輪椅行動，她說：「自從我三年前加入委員會之後，我便一直嘗試

去刺激他們,以便做更多的改善。無論何時,只要我認為做某些調整並非難事時,我會直言以告,他們很快就了解我的意思。

除了帶來改善的動力之外,歐荻森也自金葆的許多觀點中獲益良多,「當我們走在參觀小徑時,我會想著,金葆是不是會認為有哪裡做的不對。」她說道:「金葆坐著輪椅與維護人員在保留區中來回審視好幾次,以便找出有那些地方需要改善,以及哪些斜坡道是易於殘障者使用的。金葆所提出的要求通常十分合理,舉例來說,如果有一個區域很難去規劃出一個循環式的路徑,金葆會說,在這種狀況之下順著原路折返也十分合理。她這樣說會讓我們能夠放心。」

「當保留區對外開放後,」金葆說:「所有的路徑都充滿塵土與碎石,讓輪椅使用起來相當困難。然而,當他們宣布要將主要的路徑都鋪設新路面時,我嚇到了,我不喜歡那些路面被覆蓋,所以我告訴他們,『請不要鋪設道路,讓這些小徑保持它原始的風貌,讓我們感受那種地面的崎嶇,我們可以適應的。』後來他們還是進行了路面鋪整,現在我認為那做得相當不錯,對於老人家也很舒適方便,我看見一些丈夫推著妻子,或是老太太推扶著她的先生,輪椅的滑動非常順暢,一點都不費力呢。」

小徑的路面則沒有進行鋪整,其上充滿了碎石並覆以樹皮,堅固並且井然有序,通常約有四英尺寬,不會有超過5度的傾斜起伏,路的兩旁有清楚的邊線以便於辨識,「我們將樹皮覆蓋於路面上,以確保小徑易於辨識。」歐荻森說。當你騎車或是走在小

石路面時，聲音和質感絕對是有別於樹皮覆蓋的路面，所以，觀眾可以很清楚的知道是否離開了規劃的路徑。

1989年，有一個殘障行動委員會（Kitsap Handicapped Action Committee）針對保留區的無障礙環境進行調查，他們「非常訝異保育區行之有年的措施與政策」，不過仍然提供了長達二頁的改善意見。委員會的建議很快就得到回應，首先，保留區增設了二個斜坡道，使得日式花園的遊客接待處易於出入，並重新整修了另一個斜坡道，另在遊客中心外新增欄杆，在大理石階梯的邊緣裝設色彩鮮明的止滑帶，此外，並為輪椅使用者及其同行的人增設休息區，提供長條椅供其休憩。

最重要的是，他們誠心誠意的接受了「導覽人員必須以觀眾的需求為基礎，來進行導覽」，「如果有一位輪椅使用者問說到哪裡參觀好呢？我們一定會建議最容易參觀的動線，那就是中央花園。」歐荻森說：「較難行走的路線是鳥類保護區，那裡絕對需要同伴隨行，而峽谷區的路線則十分困難，除非其體能很好。」

「我們訓練導覽人員，使其有能力去回應特殊的要求或需要，但我們從不做例如『每週二為視障或聽障觀眾提供特殊導覽』這類的事情。如果殘障團體來參觀，我們會詢問他們的意見，如果個別視障觀眾來參觀，我們會使用非常清楚的描述，使得每一位觀眾都能從毬果和樹皮，辨別出冷杉、西洋杉和赤揚屬植物，還有苔蘚、石頭、種子及其他植物。」

「這樣的導覽方式對兒童也十分有效，兒童通常能夠從很清楚的解說中獲益，也能夠在觸摸式活動中得到樂趣。即使不是視障

者,也能從觸摸的方式中得到樂趣。」

　　每年夏天,歐荻森都會邀請一個協助視障者的組織（Lighthouse for the Blind）,將夏令營的活動安排在保留區,做一趟田野之旅,大約會有25個視障與聽障的團體參與這個活動,每個團體都有一名義工導覽。從各方面來說,這個活動對參與者是具有十分正面的意義。「有個小男孩對這些樹皮和葉片很感興趣。」歐荻森說:「顯然,他對植物相當有興趣,因為他畫了一些很有意思的圖,來比較落葉植物及長青樹的差異,並且問了一些很好的問題,例如冷杉是不是松科的一種等,從這些活動中他很能夠自得其樂。夏令營的召集人霍夫曼（Paula Hoffman）在之後的書面報告中提到,很多參與者表示,即使他們有視覺及聽覺的障礙,仍然能夠有很棒的參觀體驗。」

　　歐荻森每年都期待夏令營活動的到來,同時,也不認為同時接待如此多的殘障觀眾,對保留區而言是太過沉重的負擔,而這一切,都要歸功於導覽人員辛勤的工作。

　　當保留區盡力使所有區域都能易於到達時,也發現在有著小徑、階梯、懸崖、峽谷和沼澤地的70畝的園區中,有些景點的確是無法讓每位觀眾都能蒞臨參觀。沒有人比金葆更迅速的看清這個事實,她說:「有些地方我覺得自己沒有辦法,而且也不應該去,像是岩區,輪椅根本無法通行。」

　　「我的兒子在大學時期到越戰期間,曾來過這裡,也發現了這個

情形。之後，他搬來這兒住時，他說：『媽，這個世界上有些地方最好不要讓人太容易接近，不應該在那裡開車，也不應該開一條路讓輪椅通行。』他是對的，我們不能夠讓所有的地方都是可以到達的，我們應該滿足於目前所能達成的部份，在保留區中能夠欣賞到的事物已經太多，即使有些無法看到，也沒有什麼關係。」

金葆說：「遊客中心已經完全讓觀眾可以通行無阻，而它也應該是這樣。你可以從側門的斜坡道直接進入中心，走道的寬度也足以讓輪椅通行，這真的是太棒了。」

「洗手間十分寬敞舒適，可以容納輪椅使用者同行的夥伴一起進入。建築師有時候會對殘障廁所有一些奇怪的構想，當他們在設計廁所隔間時，門的寬度沒有問題，可是深度卻不足，因此無法將門關上。在保留區內，廁所就是一個老式的大洗手間。」

在遊客中心內也規劃了音樂表演、閱讀和遊戲的空間，「哦！那些真是有趣。」金葆說。邀請函與通知單會寄給數千名會員，「如果收到音樂會的通知，你該做的只是儘速用電話報名而已。」通常，在冬天時會在大會客廳中舉辦，夏天時則是在東邊草坪上，如此一來，觀眾可以很清楚的看到卡斯卡德的景色。

有些表演活動提供手語解說，歐荻森希望明年能夠多爭取到1,000美金的預算，以便加強表演活動中的手語解說。為了達成目標，她不僅寄信給會員，同時也寫信和打電話給政府單位及委員會成員，使得所有殘障者都知道表演活動的訊息，以及無障礙的遊客中心。「然而，我們不會打電話給聽障者說：『我們為你特

別設計了一些表演活動，想來看一下嗎？』我們的理念是將此視為例行表演活動的一環，我們希望大家了解，只要在所做所為中為殘障觀眾多盡一份心力，就像是我們中心所作的一樣，那麼，人人都可以共享。」

[8 南卡羅那州
卻斯頓市德瑞頓府第
Drayton Hall, Charleston,
South Carolina]

　　將德瑞頓府第（Drayton Hall）稱為"國家的瑰寶"確是當之無愧，它建造於 1738 年至 1742 年間，是喬治亞帕拉底歐式樣（Georgian Palladian）建物的最佳典範之一，原是私人家族七代的產業。這座"國家的歷史性地標"（National Historic Landmark）保存狀況非常良好，幾乎與當初建造時一模一樣，同時，它也是目前唯一經歷過美國內戰而僅存的艾胥河（Ashley River）殖民地時期的大宅，房屋裡沒有任何自來水、電燈、中央暖氣和冷氣裝置，部份牆面還保有最初的油漆表面。由於其良好且確實的保存狀況，提供了觀眾一個罕有的機會，可以窺見美國南方的社會與文化歷史。

　　就如同其他的歷史性建物一樣，為了方便殘障者而進行的建築改造工作，面臨了諸多限制，而且，德瑞頓府第自身特有的問題是：最適合該府的口語導覽方式，卻不適用於某些觀眾，如聽障者。

　　教育與研究部門的資深研究員拉玟（Meggett Lavin）解釋道：「德瑞頓府第是一種特殊的場所，它不是一般典型的歷史性博物館，因為其中沒有任何室內傢俱，它也不是歷史遺跡，因為它的保存狀況十分良好。我們唯一做的就是解說這幢府第，藉由其建築及景觀的特色，來說明本地區的歷史和文化，同時教育觀眾史蹟保存的觀念。由於屋內沒有任何的展示和解說板，因此，觀眾

必須藉由"聽"來學習，不過也因此對聽障觀眾造成了極大困擾。」

在1986年，國家藝術基金會（National Endowment for the Arts）在德瑞頓府第召開了一個研習營，探討殘障者參觀歷史性建物與場所的問題，府第的員工因而開始推動一個針對聽障觀眾的導覽計劃。

第一個構想，是由二位手語導覽人員和來自南卡羅萊那州聾人協會（South Carolima Association for the Deaf）的承辦人員麥金倪（Charlie Mckinney）一同進行導覽，由於導覽的重點在描述建築細部，所以必須用許多專門術語來解說，「手語導覽人員幾乎得拼出所有的詞彙，當導覽結束後，手語導覽人員幾乎累垮了。」拉玟說：「因此，我們發現由手語導覽人員負責整個解說工作並不適當。」

「適當的解決方法是製作導覽手冊，在定稿前共修改了五次。麥金倪是第一個版本的試驗對象，結果，在大部份的參觀過程中他都不知道身在何處。為此，我們體認到方位的標示必須非常清楚。」

所有不同版本的文稿都經由審議委員會審閱，委員會的成員則

由各個聽障團體代表擔任，隨後，文稿再由志願至館參觀並給與回應的本地聽障觀眾再次測試，並依照其意見及建議進行修正，然後，再次測試，整個過程耗時長達一年。

最終定稿的手冊內容共有40頁，精細而簡明，主要內容有：指標系統、導論、第一樓層、第二樓層、河岸／地下室，以及附錄，並以跨頁方式介紹房間及立面的細部，在左頁是黑白插圖，描繪出建築物的各個構成，右頁則針對建築理念進行說明與探討。建築專門術語以粗黑字體標出，並且賦予明確的定義。在每一右頁的右上角都有一個建築平面圖，並以"×"標示出該頁所介紹的房間之所在位置，此外，整本手冊以大而清晰的字體印製，因此易於閱讀。

每當有聽障觀眾參加導覽時，導覽人員會攜帶一本導覽手冊，解說時會一併指出目前談到手冊中的哪一頁，如此一來，聽障觀眾就會知道他們目前的位置，就算導覽人員臨時改變行程，聽障觀眾也不會混淆。

由國家藝術基金會和國家歷史保存信託會（National Trust for Historic Preserration）所提供的小額贊助，負擔了第一刷500本的費用。製作導覽手冊總共耗費美金3,740元（準備解說文字500元，插圖250元，雜支40元，印刷費3,000元）。從任何標準來看，這樣的花費都是物超所值。

對聽障觀眾而言，這本手冊徹底改變了他們的參觀經驗，聽障者自助公司（Self-Help for Hard of Hearing People, Inc）的艾倫（Nettie Allen）談及她個人的經驗：「在入口處有一個明顯的

指標，『本館備有專為聽障者提供的導覽手冊，請向入口警衛洽詢。』根據指示，我詢問了警衛，他給了我一張指引單，裡頭有館內平面圖、逃生方向指示和導覽手冊的使用說明。依照指引單的說明，我走到禮品販賣處，那裡有可通往陽台的殘障坡道，專為輪椅使用者設計的飲水機和洗手間等設施。在販賣處，我很快就拿到一本 A4 尺寸大小的導覽手冊。」

「由於導覽場次是每小時一次，對聽障觀眾而言，他們有足夠的時間在戶外的休息區先看一下導覽手冊，手冊中的插圖、對建築設計簡明的描述以及歷史風格的說明，都和導覽人員口述的內容一致。」

「我已經很習慣在老建築中有豐富的傢俱擺設，所以，我非常訝異這幢房子竟然完全沒有傢俱，不過，也因此觀眾會更注意去欣賞建築本身的細節，還有優秀的工藝技巧。這本手冊能夠有效地幫助觀眾理解導覽人員的說明，以及建築物和園區的特色。」

1988年，在一個聽障者的會議中，對此導覽手冊做了一次如拉玫所說的"終極測試"；在一般狀況下，工作人員會針對聽障觀眾安排特定導覽，同時增聘額外的導覽人員及手語導覽人員，「我們為此次會議安排了特定導覽，但是許多與會人士都陸續自行前來，而且包括了聽障者和一般人士。」拉玫說道：「結果，導

覽人員帶領所有人進行一般的導覽，由於效果十分良好，我們才瞭解到這本導覽手冊真正有效。」

這本導覽手冊對非聽障人士的觀眾，亦有極大的幫助。拉玫說：「對於年長觀眾而言，這本手冊極有幫助，雖然他們不承認自己是聽障者，但仍十分讚許能有導覽手冊來協助他們參觀。」

「我們同時把這本手冊當成新進導覽人員的訓練工具，此外，老師和學生也都十分喜歡它，因為，它不僅是研究的良好素材，也可作為參觀前的準備教育，所以學校經常購買這本手冊。」

「這本手冊也是我們編譯不同語文的導覽手冊的藍本，目前已有法語、德語和西班牙語的導覽手冊，日本語版本正在計畫中。此項計劃的成果是多方面的，不但能符合特定觀眾的需求，同時也適用於不同的觀眾群。」

另一項改善計劃則針對肢障觀眾而訂。直到最近肢障者都無法到達一樓，由於這裡的土壤十分潮濕，因此建築物的最底層是架高的，要到達一樓地板，必需爬上13層階梯。原本肢障觀眾只能在圖片中看到這個部份，通常導覽人員會向肢障觀眾解釋道：請參加一般的導覽行程來參觀建築物的外觀、地下室、河岸和園區，隨後觀看錄影帶來瞭解建築的室內空間。如今，由於安裝了輔助設備（Stair Trac），每一位觀眾都可以到達一樓了。

這套輔助設備是一組獨立運作的設施，每次能舉起並運送一個人，而且毋須將其安裝於建築物上。拉玫說：「這項設施由瑞典人發明，而且運作非常穩定。在訂購之前，我們試用過，而且做

了全國性的調查，以便確實瞭解它是否在功能上運作無誤。雖然這套設施耗資3,500美元，不過我們很高興終於能把肢障觀眾順利地送到一樓。」

不過，這套輔助設備無法在一樓和二樓之間使用，因為樓梯角度太陡。然而就算是正常的一般觀眾，他們也必須依序爬上樓梯，經過一個空中走道，才能到達室外的陽台。德瑞頓府第目前正進行一項為期二年的建築結構應力評估計劃，只有少數人能夠登上二樓，拉玟說：「觀眾參訪的重點是戶外空間、地下室、一樓和戶外景觀。」

德瑞頓府第共有13位全職員工和27位的兼職員工與義工（包括12位導覽人員），大部份的導覽人員都是支薪的兼職員工。導覽人員是成功導覽不可或缺的主因，導覽人員必須隨時將因研究而發現的最新資料加入於導覽內容中，同時，他們也必須具備良好的應對能力。

舉例而言，視障觀眾的導覽是一對一的，而且必須適合於每一位視障者。拉玟說：「我們的館員非常有彈性，導覽人員必須能夠了解觀眾個別的特性，並準確的傳達出必要的訊息。當視障觀眾來參觀時，我們首先會瞭解他們感興趣的是什麼，並針對這個部份做較詳盡的介紹。我們還有整棟建築物的模型，視障觀眾可

藉此瞭解建築物的整體架構，同時，還可觸摸某些部份。針對他們，我們稍微調整了導覽內容，著重在建築的架構、材料以及空間配置，而非歷史介紹。」

對博物館界而言，德瑞頓府第是嶄新的機構，它在 1977 年才正式對大眾開放，不過，它一直致力於使殘障觀眾有賓至如歸的感覺，並讓他們能有和一般觀眾相同的參觀體驗。

拉玫小姐說：「假如有一整個巴士的視障觀眾同時來訪，我們可能無法應對的很完善，因為我們房子的模型並不足夠。」不過，她停了一會兒後又說：「我想我們未來會做得更好，因為，沒有什麼事是不可能的。」

Chapter [9 傑克遜市羅斯密西西比農林中心暨國立農用航空博物館

Jim Buck Ross Mississppi
Agricultural and Forestry /
National Agricultural Aviation Museum,
Jackson, Mississippi

對國立農用航空博物館暨羅斯密西西比農林中心（Jim Buck Ross Mississippi Agriculture and Forestry / National Agricultural Aviation Museum）而言，要在廣闊的園區中達致無障礙空間是一項極大的挑戰，特別是許多展示都是根據歷史傳統而設，且大多位於戶外。

這座特殊的博物館是以密西西比州農貿局前任局長羅斯（Jim Buck Ross）先生為名的，從館名即可發現該館的展示主要在於引介農業、林業與農用航空，該館的宗旨在於保存美國南部某特定時期的歷史，就如同其簡介中所提：「告訴觀眾密西西比的故事，以及農業是如何塑造我們的歷史。」

為了訴說過去的故事和保存文化遺產，博物館很少將文物放在玻璃櫃中展示，而是讓傳統能夠動態的運作，並經由生動的演示來呈現當時的生活型態。藉由館中棉花紡紗機的運轉、甘蔗糖漿的製作、嘉年華會、還有鄉村小店中一先令的糖果等活動，成功的塑造出70年前此地的生活型態，每一個人都可以在這裡體驗舊日的生活型態，不是從書本或電影上，而是如同其簡介所言：「是如此的靠近與身歷其境」。

博物館成立於1983年，佔地39英畝，館內展示主題就如同其名，主要內容有農業、林業和農用航空三大主題，並包括其他相關內容。四個主要展示區為：（1）文化遺產中心，展示佔地35,000平方英呎，主要介紹當地農業和林業的歷史。由"運輸方式"來貫串整個展示脈絡，展示依次有水運，鐵路運輸與陸運，以及由三台農用飛機作為象徵的農用航空區。（2）帕克曼穀倉（Fortenberry-Parkman Farm），建於1860年，並以1920年代時期的方式進行修復，目前每天都有演示活動在其中進行。（3）小鎮，一個典型1920年代時期的小聚落，裡頭有商店、教堂、打鐵鋪、穀物磨坊、小旅店、棉花紡織店、加油站、學校以及醫生診所。（4）森林探索步道，步道上有吊橋及棧道，以及密西西比州具有商業價值的136種樹木，在此可找到94種（每一樹種都標有說明板，可供研究生態的人士作為參考）。

在館區內尚有其他的設施，包括有：一座製糖廠，兒童遊戲場，圓形階梯劇場，大帳篷，美術與工藝中心，以及最近增設的美國原住民工藝展示中心。

這是一座具有多方面吸引力的博物館，佔總參觀人數25%的年長觀眾非常喜愛這裡，「這些年長觀眾喜歡慢慢瀏覽，並回想當年。」資深研究員費茲傑羅（Margie FitzGerald）說道：「這真是一個讓他們可以回憶的好地方。」學童也非常喜愛這裡，在一天之內，博物館必須接待高達1500位學生，這些學生都非常愉

快地在館區內探索，並自然而然地吸收了許多文化歷史的知識。

　　對殘障觀眾而言，博物館亦是一個最佳場所，特別是許多殘障團體就位於博物館旁，如緊臨博物館的有盲人學校和聾人學校，離幾條街之遠的有榮民醫療中心（Veterans Administration Medical Center）和密西西比衛思禮理更生中心（Mississippi Methodist Rehabilitation Center），此外，胡思彼發育遲緩中心（Hudspeth Retardation Center），威羅伍德發展中心（Willowood Development Enter），和密西西比州立醫院（Mississippi State Hospital）也都在同一個區域之內。許多觀眾都來自上述的機構，而博物館亦提供了適當的設施，以符合他們的參觀需求。

　　坐輪椅的觀眾在館區內大部分的地方都能自在的參觀。文化遺產中心是棟一層樓的建築物，屋中展示區的通道都十分寬敞而無阻礙，並有供輪椅觀眾而設的電話、飲水機和洗手間，除了二層樓的棉花紡織店之外，所有建築物都設有殘障坡道，館區中到處有長條椅、休息椅和野餐桌供觀眾休憩，森林探索步道則以木板鋪設，以方便觀眾行走。

　　對於那些不坐輪椅但又需要協助的觀眾，館方亦提供了多種協助方式，有電動輪椅和三輪機車可供借用，或者可搭乘由員工駕駛的高爾夫球車穿梭館區。

　　對每一位觀眾而言，博物館都提供了許多事物供其參觀；不論是一般或是殘障觀眾，都會喜歡參觀將甘蔗製成糖漿的過程，最有趣的是還能親自嚐一口，對兒童而言，特別是學習障礙和視障

的兒童，兒童穀倉區是令人興奮的地方，這裏有騾子、鴨子、鵝、山羊、綿羊和豬等家畜，經由義工或導覽人員的協助，兒童還可撫摸牠們。

當有視障兒童到館參觀時，費茲傑羅說：「我們讓他們觸摸某些一般觀眾不准觸摸的文物，他們可以靠近並用手來感覺其形狀。觀眾也喜歡傾聽館中的聲音，他們能從影片中得到許多訊息，這是部 15 分鐘長的影片，提醒觀眾在參觀時有那些事物是不可錯過的，同時介紹當地的農業發展史。」

來自密西西比州立醫院的團體觀眾，也會來參訪博物館，「雖然某些人會有較多的參觀收穫，不過，所有觀眾在此都能發現他們感興趣的事物。」

對年紀較大的觀眾而言，博物館具有自然而然的吸引力，因為博物館的主題與蒐藏著重在1920至1930年代的事物，而這段時期剛好是他們成長的階段。大多數的年長觀眾，喜歡自行參觀，而不需要導覽人員陪伴，他們追憶過往，並與朋友及家人分享昔日的親身經驗，在館中經常可以見到，四代或五代同堂的全家福一起來參觀。由於在帕克曼穀倉展示區中，會演示六十年前的工作情景，「因此，你常可聽到有人說：感謝老天，現在我已經不用在農場工作了！」費茲傑羅說。

館方員工亦經常拜訪退休老人之家、安養中心以及老人俱樂部，鼓勵老人們多來參加博物館所舉辦的活動，有時，館員會

帶著一些文物，如舊鐵器或高跟鞋來引起老人的興趣。有八位老人因為經常參加館內活動，已經成為導覽人員，費茲傑羅說：「而且他們的工作成效非常良好。」

一年一度的"高齡觀眾日"，總是吸引相當多的觀眾來館參觀，並有各式各樣的演示活動，包括了：籃子編織、紡紗、縫紉、做木鞋、鄉村音樂演奏、聖歌演唱、打鐵示範、磨麥粉以及方塊舞等。

館方每年的營運經費總計有28,000美元，其中的二分之一是由州政府補助，當地的許多企業亦提供贊助，如：高爾夫球車、電動機車及輪椅均由企業贊助。此外，博物館並藉由舉辦多樣化的活動來建立特色，每年至少會有12場的大型活動，其中較為活潑、歡樂的活動有：有高地舞蹈和遊戲競賽的蘇格蘭文化日（Scottish Heritage Day），藍色草坪之午后（Blue Grass Afternoon），手工藝之旅（the Crafts Tour），鄉村市集（Country Fair），小丑與木偶秀（Clown and Puppet Show），萬聖節慶典（Halloween Carnival）及嘉年華會（Mule Festival）。

特殊藝術嘉年華（Very Special Art Festival）是館內最受歡迎的活動之一，但是並未對募款有直接幫助，因為這項活動是免費的。在1991年，至少就有7000位殘障兒童參與，根據估計，在1992年應會有超過9000位兒童參與，因此這項活動延長為二天。這項活動與密西西比州立大學的特殊教育系（the Special Education Department of Mississippi State University at

Starkville）合辦，系主任圖帕西博士（Georgia Turnipseed）負責規劃此項活動的展示，並有其系上老師、當地的童子軍團、ROTC的會員、以及其他社團參與協助。當地大學的女學生聯誼會和兄弟會成員，除了協助展覽和活動的籌備之外，並在活動期間協助參與的殘障兒童。

和其他博物館不同的是，這裡並不需要太多的導覽人員，因為展示毋須太多解說，大部份的年長觀眾喜歡自行參觀，費茲傑羅說：「他們並不需要導覽人員告訴他們如何去使用這些器物，因為他們早就知道了。」至於聽障、視障或是學習障礙的觀眾團體，則幾乎都有指導員或老師陪同參觀。

當參觀團體確實需要導覽人員時，博物館亦會配合提供。通常參觀團體在事前預約時，即可要求館方安排導覽人員，當有為數眾多的兒童團體來訪時，博物館都會在事前安排多位導覽人，若有團體或個人需要手語解說服務時，鄰近的聾人學校亦可提供協助。

對於年幼和年長觀眾而言，參觀此博物館的經驗是相當愉快的，費茲傑羅說的一個小故事，就是最好的見證：「有一群大約8歲大的兒童參觀了穀倉區之後，正準備離開，我對其中一個小女孩說：『快點！小甜心，不然他們就要把妳留在這裡嘍！』結果，她很高興的回答說：『我很希望他們真的這麼做！』」

10 加州
奧克蘭市奧克蘭博物館
The Oakland Museum, Oakland, California

陶德（Lolly Todd）和海姬（Bea Heggie）這兩位導覽人員每個月會有一次，同時帶領聽障觀眾和一般觀眾參觀奧克蘭博物館中最新的展覽，並以「全方位溝通」的方式進行導覽（Total Communication Tour），所謂的「全方位溝通」，意指導覽人員同時以口語和手語的方式進行解說。

這種導覽方式並不常見，而更令人覺得罕見的是，這兩位導覽人員從1970年代中期即開始投身其中並持續至今，他們辛勤而細心的準備所有導覽內容。

奧克蘭博物館有著無障礙的建築空間，和一系列為殘障者所規劃的活動，其中最引以為傲的是針對聽障觀眾的部份；在為大眾設計且極富創意的多項活動計畫中，最富創意的就是「全方位溝通」，導覽人員竟能以如此特別的方式，引導殘障者參觀博物館。

此項導覽計畫始自1973年，當時舊金山美術館（The Fine Arts Museums of San Francisco）開始推動手語課程，並邀請對課程有興趣的其他館所導覽人員共同參與，最初約有12位左右來自不同博物館的導覽人員前來參加，之後陸續又有其他人員加入。

　　「學習手語就如同學習外國語言一樣，並非易事。」負責教育推
廣的海坦諾（Janet Hatano）說道，博物館要求導覽人員在正式
以手語解說之前，必須達到精通的程度，「本館設有聽障人士委
員會來負責進行審核，以確認導覽人員的資格和導覽能力，不是
每個人都可以通過審核、取得導覽資格的。本館這個委員會在進
行審查時，是非常公正客觀的。」

「手語是相當有趣的語言，而且比閱讀更為容易。」海坦諾表示：「不過，有時候導覽人員以為自己的手語十分正確時，其實聽障者卻未必完全了解。」。這些精通手語的導覽人員都得接受加州聾啞學校（California School for the Deaf）的密集訓練，而且在初期都必須自費接受訓練。

少數通過嚴格訓練的導覽人員，即使能在館內進行解說工作，但在幾年之後大多數的導覽人員都會離開。海姬解釋道：「他們不是搬家，就是另謀高就，我是最早的那批導覽人員中唯一僅存的，陶德則晚我幾年之後加入，而原來和我們同時進館工作的那些人都已經走光了，現在只剩下我們兩個人囉！」

然而，即使只有兩個人也能創造出一番不同的氣象。

海姬和陶德不僅針對館內的常設展示進行聽障觀眾的導覽，對於特展也一視同仁，海姬表示：「這項工作不僅耗時甚久，而且需要頻繁的溝通。」他們每個月的例行工作就是：「首先，和策展人一起將展示廳檢視一遍，然後，我們會研究內容並撰寫導覽草稿。一位在學院教書的聽障朋友品芝（Betty Ann Prinz）專門負責檢查手語是否正確，策展人則會確認草稿內容是否精確無

誤。每位工作人員都是標準的完美主義者，即使有這麼多年的導
覽經驗，他們還是覺得在正式導覽前若能先練習一下，心中會覺
得比較踏實。」

在導覽中所使用的手語並不是美國手語中心系統（American
Sign Languages，ASL），而是美國手語協會系統（Signed

Exact English）。海坦諾解釋道：「使用ASL時你無法說話，因為這是兩種完全不同的語言，ASL的文法和英文不同，而美國手語協會系統就沒有這種問題，由於很多聽障者從小學習這種手語，所以海姬和陶德就將這種手語納入導覽中。」

「全方位溝通」的導覽方式對聽障者而言是個相當豐富的參觀活動，由於包含了口語和手語的解說，因此也十分適合那些失聰不久正在學習手語的人。海姬表示：「他們想要與人溝通，想要學習手語，他們想成為團體中的一份子，而這種導覽方式讓聽障者和其正常的伴侶能真正共同參與。」

這兩位導覽人員擁有一群忠實的觀眾。海姬表示：「大部份的人其實都沒接受過藝術教育，我們就看著他們的態度在幾年之內逐漸轉變，變得對藝術和博物館展覽都有高昂的興趣。最近還有一個團體並不認同我們某些解說的內容，所以，他們就自行對其他人解說，我覺得這也很好，這是我們長久努力的成果。」

這樣的導覽工作本身其實存有一些疑問和難題：為什麼有些導覽人員願意花那麼多的時間和精力？他們的的動機為何？又是什麼原因使他們持續下去呢？海姬認為：「因為我有一位聽障朋友，所以才會對手語導覽產生興趣。當我知道有這項訓練課程時，我覺得這是一種挑戰，所以就來試試看了。」海姬之所以持

廣 告 回 信

北區郵政管理局登記證

北台字第13304號

免 貼 郵 票

□□□

姓　地
名　址
：　：
：　：

105

台北市八德路四段 232 號 7 樓

五觀藝術事業有限公司　收

寄回此卡，送您「**董事，應該懂的事**」一本！（價值NT＄190

◎謝謝您選擇這本書！您有收穫，同時也幫助我們繼續為「藝術
　管理」系列繼續努力。您的意見是動力、也是鼓勵，請讓我們
　知道。為提升服務品質，麻煩您填寫下列資料：

　　　　　　　　　　　　　　　　□先生
1. 姓名：_____　□小姐

2. 電話：_____　　傳真：_____

3. 地址：_____ 縣市　　　鄉鎮　　　路街　　　段
　　　　 _____ 巷　　　　弄　　　　號　　　　樓

4. E-mail：_____

5. 學歷：□初中以上 □高中 □專科 □大學 □碩士 □博士

6. 職業：□學生　　　□非營利事業　□企業　□政府部門
　　　　 □自由業　□其他 _____

7. 想獲得的訊息：□讀書會 □講座 □研習營 □研討會 □其他

8. 購買地點：_____

■您給我們的意見：

續留在導覽工作崗位上，是因為工作極富挑戰性，「而且團隊成員之間彼此情誼深厚。」

　　負責訓練館內320位導覽人員的海坦諾表示：「人們想成為導覽人員是因為想學習新事物，然後加以運用，在這過程中友誼也就自然而然隨之建立。我相信計畫越是困難、越具挑戰性，參與

成員之間彼此的友誼也就越深厚。」

另一個為聽障者而設計的活動是 1968 年瑞蒙（Granville Redmond）的特展，瑞蒙是位失聰的風景畫藝術家，畢業自加州聾啞學校。「在展覽期間，我們和加州聾啞學校以及社區聽障組織合作舉辦了一系列的活動，還包括了一場座談會和一場全天的慶祝會。」海姬說：「因為這樣，我們對聽障團體的興趣越來越濃厚，還有三位聽障朋友，表示願意加入我們的導覽團隊。」

對這三人來說，成為正式的導覽人員並非易事；由於所有參與者都必須通過導覽人員的標準訓練，因此，他們需要專業手語翻譯人員的協助才能進行訓練。幸好館方自加州藝術委員會獲得經費補助，所以能夠聘請專業的手語翻譯人員。這三位聽障者現都已順利通過訓練，並以美國手語中心系統進行導覽，「由於我們有經費，所以他們是以館內正式員工的身份進行導覽工作，並繼續參加更高階的訓練課程。」海坦諾說：「這計畫推展得算是相當順利。」

海坦諾表示：「這些聽障者能參與導覽工作真的是一件很棒的事；手語是一個意涵相當豐富的語言，一般導覽人員從聽障者身上，能夠學習到更多的表達方式和手勢。聽障者對這項導覽工作的貢獻實在匪淺。」

在瑞蒙三個月的展期中，博物館安排聽障學生和聽障藝術家共同創作，同時進行展覽的解說，由於這項活動進行得相當成功，因此成為博物館定期的導覽活動之一。在展覽中，一位退休的藝術家克隆哈維（Igor Kolombatovic）引導聽障學生更深入地瞭解藝術，並協助他們進行自己的創作。「他很有小孩緣，而且很快地就和學生打成一片。」海坦諾說：「由於他就是真正的藝術家，所以是解說藝術家個人心聲的最佳人選。」

　　克隆哈維也向學生秀出自己的作品，他的畫風和瑞蒙迥然不同；瑞蒙深受印象畫派的影響，畫風柔和，克隆哈維的畫作比較華麗刺激，這兩者的作品無論是在色調上或主題上都有強烈對比，聽障學生因此能夠感受到聽障畫家的多樣性。參觀之後，他們也會自己動手畫畫，大部分的人都會畫出風景畫。

　　「博物館目前定期舉辦這類活動，但並不配合特展。至少一年兩次，我們會以聘請而非義工的身份，邀請克隆哈維和聽障學生一同參與活動，我們也以同樣的方式和其他聽障藝術家合作。」海坦諾說：「我們無法百分之百完美的達到預期目標，但多年來，我們覺得應該要加強並推廣以聽障者為對象的活動，同時更藉由聽障者對活動策畫、執行與評估的參與，讓每次的活動都比以前更好。」

Chapter 11

德拉威爾州
溫德市溫德博物館・公園・圖書館
Winterthur Museum, Garden,
and Library, Winterthur, Delware

在歷史性的建築中，要達到真正無障礙空間的目標其實相當困難，且通常成果有限，不過，位於美國德拉威爾州溫德市的溫德博物館（Winterthur Museum, Garden, and Library）是個例外；該館執行無障礙計畫的成效十分卓著，其他的機構即使擁有正確的觀念和合格的執行人員，所達到的成就也很難跟溫德博物館相比。

溫德莊園是美國杜邦公司三代以來的產業，位於白蘭地谷（Brandywine Valley），廣達900英畝的土地上有著森林、草原及溪流等各種地貌。最古老的建築物建於1839年，共有12個房間，風格是希臘文藝復興式樣。由於後續整建和加蓋的緣故，建築物大部份的原始結構都被改變，目前，僅能在少部份的室內空間中依稀看出原來的面貌。

1880年生於溫德莊園的亨利・杜邦（Henry Franois Dupont）非常喜愛這塊土地，他在有生之年，將這塊私人產業轉變成公立的博物館。此外，由於熱愛園藝，他將自然景觀與園藝結合，在莊園的土地上創造出一座美侖美奐的景觀花園。

1931年，亨利・杜邦在原有的建築物旁增建了一座廂房，以展示他所收藏的美國古文物和裝飾藝術品。為了創造出具有精確歷

史感的展覽環境，以完美襯托展出的傢俱及家用裝飾品，他購買了大量來自美國東岸建築物的室內裝飾物件。展出的89,000件收藏品，不僅展現了美國卓越的工藝水準，分為196個展覽室的展出手法，也呈現出自1640年至1860年間美國的生活方式。在 1951 年，博物館與花園正式開放給大眾參觀。

要將博物館的空間達到完全無障礙的水準，是一項巨大的挑戰；教育部門的副主管孔思（Valerie Coons）堅持不稱這為「問題」，而稱之為「挑戰」。試想，要如何將經過森林和花園、且長達數英哩的陡峭小徑變成無障礙空間呢？而舉目所見，每件事物都有歷史價值，不論是室內建築，傢俱，甚至是戶外的景觀，如：池塘等，都具有建築與歷史上的特殊價值。

對剛進入博物館開始參觀的人來說，可能會對此地的無障礙空間感到沮喪；在博物館入口，輪椅使用者必需推行20碼的距離才能找到斜坡道，在餐廳裡，較高的櫃檯與狹窄的走道，對輪椅使用者都造成不便。不過，每十分鐘從遊客中心到博館的交通車上，都設有輪椅昇降設施，同時並有殘障者專用的停車場。然而，穿過花園的小徑，有時候是太陡峭了，輪椅使用者專用的小徑也有相同的問題，而在博物館內，有些階梯的高度差太大，所以無法建造殘障斜坡，此外，為了保護對光線敏感的文物，大多數的室內燈光都相當昏暗。

的物件到細節部份都進行解說，並視觀眾的特性來選擇適當的語彙，說明這些展品與觀眾個人生活的關連何在。」

館內還免費提供大字體版本的導覽手冊「溫德最佳導覽路線」（Winterthur's Popular Two Centuries Tour），視障觀眾可藉此了解館區的配置與概況。若能在參觀前先瀏覽手冊一遍，即使對一般參觀者來說也有相當的助益。

針對盲人及視障者，博物館特別規劃了「觸摸導覽」，藉由館員的協助，這些特殊觀眾能觸摸到某些文物。選擇這些文物的準則包括：觸摸的趣味性，歷史性，美學意義，以及教育意義，這些文物包括了齊本德耳式（Chippendale）的高櫃，知名技師製作的大酒杯，以及有蓋的中國鴨型大湯盤。除此之外，尚有一間觸摸室，主要供學生團體與家庭觀眾使用，其中有許多有趣的物件，例如：白蠟製的湯匙及其模具，配有轉軸的桌腳，18世紀常用的把手等。

事先預約的聽障團體，可由具執照的手語解說員，帶領他們參觀博物館或是花園。隨後由博物館導覽人員，進行一般的導覽解說，導覽的對象則包括了聽障者與一般觀眾。（手語解說員乃針對聽障團體而雇用，由教育部門的年度預算5,000元美金中支出。）

導覽人員必須接受特殊的訓練，才能與手語解說員一起工作。孔思說道：「訓練課程必須告訴導覽人員應有的舉止，包括：若有聽障團體接受導覽時，導覽人員應站在何處，以適時協助手語解說員或聽障觀眾。導覽人員也必須注意自己的步伐大小，由於聽障者無法在看手語的同時又參觀展示品，所以必須留給他們較多的參觀時間。」

對於有學習或心智障礙的觀眾來說，博物館亦有符合此類觀眾需求的導覽活動。

其實，導覽人員是溫德博物館無障礙空間計畫成功的主因之一；館內大約有90位兼職的有給職導覽人員，他們都受過完整的訓練，訓練中除了美國裝飾藝術課程之外，還包括無障礙空間的課程。負責無障礙空間訓練的孔思說道：「當我們聘用一批新進的導覽人員時，在為期二週的訓練中，會涵括無障礙空間的課程，課程內容包括：討論本館整體規劃無障礙空間的理念，並提昇他們對此的認識。接著是導覽實務，例如：針對照明昏暗環境的應對作法，適用於視障者的口語解說技巧，如何與手語解說員一同工作，如何針對認知障礙的觀眾適時調整解說內容等。

「在幾個月之後，導覽人員會再接受另一種訓練課程，當然，課程中會包括無障礙空間的進一步介紹。在導覽人員對其已有相當的認識之後，我們再針對特定狀況，以案例方式加以說明。這種訓練並非定期舉辦，但我們一直持續在做。」

導覽人員還可接觸到有關殘障者以及如何協助殘障者的豐富資

料;博物館規劃了一系列的員工自我教育計劃,其中有一項是由孔思負責,她蒐集了許多有關無障礙空間的文章及資料,並以活頁方式裝訂,導覽人員可以自由翻閱。

雖然大部份的花園小徑都有完善鋪面及足夠的寬度,但是有些地方還是過於陡峭,不適合獨立操作輪椅的肢障者通行。每年在四月到十月,館方會提供電動車導覽花園的服務,其中有一部電動車裝設有輪椅昇降設施,可容納二位輪椅參觀者。對於視障觀眾,花園導覽人員亦準備了詳細的口語解說資料。

為了解決溫德博物館尚待克服的挑戰,孔思特別召集了一個10人的諮詢委員會,其中有7人是殘障人士。委員會協助博物館與當地殘障團體連絡,其中有位委員負責與德拉威爾州盲人協會聯絡,主動提供機會吸引盲人到博物館參訪。另一位委員協助提供管道,讓相關訊息能刊登於當地主要報紙。孔思覺得委員會的成立對她工作的推行有極大的助益:「對大多數的機構而言,來自於機構外的建言,通常比機構內員工的建言具有較重的份量,即使這些建言完全相同。所以,當有個委員會在支持我時,我更能有效率的執行工作。」

溫德博物館最近剛增建一棟建築物,供做常設展示及特展之用,並於1992年開放參觀。孔思非常高興她能夠在初期就參與

增建計畫，且能將無障礙空間的觀念落實執行。

　　她努力爭取到許多改善成果：在展示品周遭有足夠的空間，可供輪椅使用者迴轉，展示品陳列的高度與角度便於輪椅使用者觀賞，同時，展示中還包含了可供觀眾觸摸的單元。委員會的成員之一是無障礙建築空間的專家，他幫孔思檢查出規劃案中不合法規的地方。不過，還是有令人失望之處，她說道：「我的理想是希望與我共事的同仁，不管在理論或實際行動上，都能完全支持無障礙空間的執行。不過，這個理想有點不切實際，因為要同時考量到所有觀眾，並進行整體規劃是有其困難度，無法一蹴可及。最後我終於瞭解，觀念的轉變是需要長久的過程。」

　　雖然這是一個漫長的過程，至少，在溫德博物館已經著手進行，而且執行成效良好。

由上而下一起行動

Broad *Part* -Based *Programs* III

12 紐約州
紐約市大都會博物館
The Metropolitan Museum of Art,
New York, New York

　　如果，博物館應具有中世紀君王的風範，那麼，紐約大都會博物館則是箇中翹楚；因為，這個美國最著名的博物館，不僅有凌駕其他博物館的豐富典藏，雄偉的博物館建築，以及高達七千六百萬美元的年度營運預算，而且，大都會博物館之所做所為向來都足為他館之典範。

　　當然，大都會博物館在服務殘障觀眾方面的成就也不例外；該館推出各式各樣涵蓋甚廣的活動計畫，包括為視障者所設計的觸摸導覽，為聽障者所設計的手語導覽，在視聽室中則裝設了紅外線音效強化系統，針對特展推出的導覽錄音帶，針對特殊教育班級的導覽，特殊教育的教師研習會，大字體版本的博物館導覽手冊等；這些計畫項目多得無法一一列舉。

　　本章節內容並不打算要檢視每一細項，而是將討論焦點置於大都會博物館所提出的兩個獨特構想，而這兩個構想在稍加調整後，還能適用於小型博物館；第一個構想是：針對有學習殘障者的家庭設計小規模的活動，第二個構想是：成立無障礙環境委員會，以便及時發現問題，並在最短的時間內提出解決方案，提高館內行政效率。

　　「發現」，這個名實相符的活動計畫，旨在引領殘障者發現藝術世界；活動時間是在學年度中的每個星期天，以「墓穴、廟宇和

寶藏」、「武器和盔甲」以及「當作是在自己家」為主題，舉辦為期兩小時的研習營，讓參加者在不同年代的展覽室中深入探察古代生活型態。

　　研習營的活動訊息主要透過博物館出版的年度手冊，以及有殘障孩子的父母聯繫網絡來傳播出去，每一次的研習營有三到五個家庭參加，活動內容包括博物館參觀導覽，以及與該次主題相關的藝術活動。參與的家庭在抵達博物館後，會有館員出面接待，並將之引領至一間教室中進行簡報，然後加以分組，由義工、計畫助理或計畫主持人帶領進行活動。

　　研習營的導覽和一般藝術品的導覽迥然不同；這種導覽會以發問的方式引導小孩子描述他們所看到的事物，曾負責殘障觀眾服務的承辦人員哈蓉（Claudia Hanlon）表示：「我們會秀出一張照片，然後詢問小朋友的看法。只要能引導他們踴躍發表意見，或是可以拉近與藝術距離的主題，好比說，形狀或顏色的討論，都會是我們發問的內容。」

　　即使參與對象是那些無法說話的孩子，解說員也會盡量使他們有參與感；解說員會秀出幾張圖片，請小朋友在其中找出與另一幅畫的相似之處，或是產生聯想之處，例如：哪些是紅色？哪些是圓形？「有時候小朋友只是點頭，或是用手指出。」計畫助理潔夫（Deborah Jaff）說：「從他們對藝術品的反應可以知道，這些孩子充分瞭解你的意思。」

潔夫表示，在不同年代的展覽室中的導覽也進行得相當成功，「因為小朋友並不只是觀看牆上的畫作，他們真正深入其中。展覽室中擺置的物品是他們所熟悉並可加以辨識的，他們可以比較自己的房間和床鋪與展覽室中的有何不同，有些東西其實沒有太大的差別。」「有時會發生一些令人訝異的事，你會看到他們瞪大眼睛，驚訝地說：『哇！這可能是國王宮殿的一間寢室！』你可以發現他們真的十分震撼。」哈蓉說道。

　　這個活動也對整個家庭產生了一些影響，哈蓉解釋：「這些家庭從未想過能和小孩一起來博物館，參與為殘障者所設計的導覽活動，因為他們覺得自己會成為其他觀眾的焦點。然而透過這個活動，他們會覺得輕鬆多了，因為他們發現自己和其他一般家庭並無兩樣。有時候，重點就是讓他們知道自己是可以辦到的。」

　　有時，這些家庭會發現對他們而言，博物館是一個兼具教育性和娛樂性的場所。「以前，我從來不覺得我可以來這裡參觀。」一個坐輪椅的小男孩在參加過一次研習營之後說道，他和他的家人都不知道坐輪椅同樣也可以參觀博物館。潔夫說：「我們經常邀請那些從未參觀過博物館的家庭。在導覽行程中，參觀美國展覽室之前必須先穿過希臘和羅馬的雕塑區，在這段路程中他們總是讚嘆不已。我常對他們說，博物館典藏的藝術品不計其數，我們無法全部一一解說，但你卻可以隨時回來觀賞。在活動結束後，我們會送給他們一份家庭參觀證，好讓他們能免費回來參觀。」

為了鼓勵這些家庭再次來館參觀，館方製作了「五種參觀大都會博物館的最佳方式」小手冊和海報，提供他們自行參觀時一些可考慮的主題，像是動物、房間、模型和季節等等。

此外，館方也舉辦了兒童的藝術研習課程，潔夫說：「在課程中，參與的兒童和父母之間會產生許多交流，家長之間也會彼此提供協助，例如，幫小孩找到可以參加的課程。對這些家庭而言，參與活動的最大優點就是認識更多的人。」

為了使活動能夠順利推展，每一次的研習營都需要好幾位工作人員和實習導覽人員的參與協助。哈蓉將徵選導覽人員的資格定為：「能以良好態度與殘障者相處的人，同時具有相關經驗。不過，即使沒有任何經驗，只要不歧視對方，喜歡與殘障者相處，這就是理想人選。」

導覽人員的訓練課程包括殘障專家的演講，以及觀看相關影片，「還有各式各樣在館內的實地演練。」哈蓉說：「教導殘障兒童並沒有固定的公式，你必須配合他們的需求，找尋他們的興趣所在，瞭解他們的能力範圍，然後把重點放在他們能力可及之處，這是我們辦理所有活動的基本要求。能夠瞭解殘障者無法做到哪些事情當然很好，但是，重點應該放在他們能力所及的是什麼。」

這整個計畫始於1985年進行的一些實驗性質的活動。在1987年，該計畫得到紐約州啟智部門的經費贊助，以及一些私人基金

會的資助，如卡德曼基金會（Stella and Charles Cuttman Foundation, Philip Morris Companies, Inc.,）和卡涅機構（Gannet Corporation）的贊助。在1987年所舉辦的50個研習課程總經費為37,360美元，包括兼職企畫人員和計畫助理的薪資，以及行政、出版、藝術品製作、餐點等費用。由於州政府無法繼續資助，在博物館和基金會仍持續贊助的情況下，研習營的舉辦次數減為每年24梯次。

大都會博物館以諮詢委員會的模式來推行無障礙環境計畫，其他館所也紛紛仿效；委員會的成員主要由殘障組織的代表擔任，委員會除了對博物館無障礙環境計畫進行評鑑之外，並提供改善建議。這個模式在溫德博物館（Winterthur Museum）和紐奧良美洲水族館（Aquarium of Americas）也進行得有聲有色（詳見本書其他章節），不過，大都會博物館的委員會和其他館所是有所不同的；由於它的成員包含了館內高階人員，因此能夠迅速的決策與行動。

委員會成員的貢獻確是有目共睹，其主任委員同時亦是博物館的秘書兼顧問懷斯（Linden Wise）表示：「有的成員學識淵博，在討論問題時，可提供各方面的意見，有的成員專精於建築領域，負責提供這方面的建議。有的擅長於觀眾服務的企畫，還有一位設計師專門負責相設計關事務，如製作易於閱讀的說明圖板。此外，還有募款代表對外尋求贊助，公共服務部門的經理則負責重要的媒體行銷，還有一位策展人，教育部門主管，以及人事部門主管。大家的共同目標就是：讓所有人都能無礙的享用博物館所有的資源。」

成立委員會最大的益處在於可以事先發現問題，尋求解決之道，「就像是一個麻煩終結者。」，懷斯說：「召集所有人到會議室中開會，比起相互傳遞文件、打電話溝通，然後等待結果的決策方式好得多了。再者，委員會的成員都是該領域中的佼佼者，因此可以迅速做出決定。」

　　當特展的時程排定後，委員會即迅速確認殘障者有關的需求。懷斯說：「我們會檢視過展覽的每一構件，聽障觀眾當然無法參與口語導覽，所以，會為他們準備書面的導覽資料。我們會將參觀動線巡查一遍，以確認坐輪椅的殘障者能暢行無阻，即使在人潮洶湧時亦然，還會仔細確認展示說明板是否清楚明顯，並且準備大字體版本的展覽說明資料。」

　　委員會推動的另一個計畫，則接受國家藝術基金（National Endowment for the Arts）的贊助，該計畫主要針對博物館中展示說明板的製作和設置方式進行研究，並出版一本參考手冊。懷斯表示：「在博物館中，展示說明板是十分重要的，它代表了博物館對觀眾解說藝術作品的方式。這本參考手冊會提供製作標準，包括：字型、字體大小、背景與字體之色彩對比、照明和設置的方式，以及製作材質的選用準則。最終目的是希望所有觀眾都無閱讀困難，特別是視障和年長的觀眾。我們將會依照手冊中的製作標準來規畫館內的展示說明板，並和其他館所共同分享經驗。」

　　「雖然這些創意和理念早就存在，不過，是委員會將其落實執行並持續往前推動──這是委員會做得最好的地方。」

[13] 麻州
波士頓市美術館
Museum of Fine Arts, Boston,
Massachusetts

當妮爾（Jeanne Neal）聽到朋友沒有邀她一起去波士頓美術館參觀莫內的畫展時，她並不介意，因為她已經失明30年了，假使朋友邀她一起去參觀的話，她才會覺得奇怪。其實，妮爾就在與博物館同一條街上的國立布累爾出版社（National Braille Press）工作，當她得知博物館為視障者提供精心設計的導覽活動時，她決定到博物館去看看。

在導覽活動中，園藝專家一邊傳閱植物標本，一邊解說莫內筆下的花園景致和田野風光，接著，內科醫師討論莫內的視覺變化和逐漸失明的過程，以及這個巨變對一位藝術家的影響，同時，並有用大字體印刷的手冊供人取閱。最後，妮爾和其他觀眾以語音導覽的方式參觀展覽。

妮爾在參加導覽之後，寫了一封信給館內特殊服務部門的蘿冰（Eleanor Rubin），她激動的情緒，在字裏行間表露無遺：「如果用迷醉來形容，或許還太含蓄！透過你們的導覽，使得莫內和其畫作在我面前栩栩如生的重現，當我邊聆聽那棒透了的語音導覽一邊參觀時，我覺得自己可以真正了解和體驗到每一幅畫作。這幾天以來，我一直處在十分激動的狀態，對每一位遇到的人——不管是在商店、巴士或地鐵中——我都會臉頰泛紅，興奮地對他們描述莫內筆下搖曳的朵朵蓮花、驚悚教堂和迷霧。雖然這聽起來很奇怪，可是，我真的覺得即使是明眼人也未必能體驗到像

我這麼多。我殷切期待能再次前來參觀。」

這項導覽計畫充分體現了博物館的宗旨：不分年邁或殘疾，藝術是屬於每一個人的。然而，要依據宗旨落實執行並不容易，特別是無法單靠個人之力來完成，蘿冰將這份出色的成就歸功於該館的特別需求委員會（Special Needs Advisory Board），這個委員會成立於 1978 年，共有 20 位成員。

「經驗告訴我，我所應做的便是傾聽那些無障礙空間使用者的心聲，並和他們一起推動與執行計畫。」蘿冰表示，委員會的成員包括了：殘障者，以及殘障者相關組織的成員，例如：殘障者的父母、老師，以及波士頓各區殘障機構的工作人員等。他們提供了各式各樣的建議與協助，從博物館視聽室的器材選擇和設計，到人員的培訓。

　　這種以觀眾為主體的思考模式，也是蘿冰工作的準則。蘿冰解釋道，其實博物館無障礙環境的觀念，最主要來自一位身有殘疾的董事會成員李本（Joan Lebrun），他說：「人類是如許錯綜複雜的生物，有著可以作夢、記憶、創造、愛與安慰的能力。但對殘障者而言，我們必須不斷地證明自己的發展，不是僅限於一個範圍之內，所以，我們需要來到像博物館這類的機構，以便能分享其所提供的刺激。」

　　博物館中硬體設施的改善包括了：無障礙的出入口和展示廳，供聽障者使用的電話，輪椅和輪椅坡道，輪椅可達的洗手間、餐廳，以及殘障者專用的停車位。除此之外，館方還提供有放大字體、對比鮮明的展示說明板和參觀手冊，語音導覽以及前述的助聽系統；這些無障礙設施為博物館贏得一項特別的獎勵：「波士頓最佳無障礙空間獎」（Best of Accessible Boston Awards）。

　　上述的無障礙設施，消弭了博物館和過去備受忽視的殘障者之間的鴻溝，為了讓殘障者能更親近博物館的收藏，蘿冰和她的同事規劃了四項活動。第一項活動是「與經典之作相遇」，由年長

的義工到館外的安養院或是護理之家，向居住其中的老人進行40分鐘的解說與介紹，並放映博物館重要典藏品的幻燈片，之後，他們會再安排這個團體到館實地參觀藏品。

這項活動在 1979 年得到州政府「高齡者事務辦公室」（Office of Elder Affaires）的經費贊助後，便開始著手訓練 21 位義工。蘿冰從年長者聚集之處，例如市立圖書館徵募義工，當然，這些義工並不是藝術專家，不過這並非重點，蘿冰表示：「我希望這些義工必須對藝術有興趣，並且願意學習關於博物館的事物，我們並不要求他們要有深厚的藝術修養。」事實上，她所召集的這群七、八十歲的義工，大部分是退休老師、大學教授和家庭主婦，義工們每個月聚會兩次，學習博物館典藏品的相關知識，以及如何使用投影機與幻燈機，如何與他人交談，和導覽解說的技巧。之後他們會分成二至三人一組，到館外進行導覽活動。「我們的目標是使義工成為年長者的親善大使，可以教導他們一些有關藝術的事物，同時，讓年長者知道博物館是一個舒適之處，有輪椅可用，並有寬敞空間可以坐下小憩一番。」蘿冰強調。

對觀眾和義工而言，這是項相當成功的活動，她說：「在最初期的21位義工中，有15至18人一直待到逝世為止。」現在，許多義工都來自博物館資深的導覽人員，因為在逐漸老去、卸下重擔的同時，這項活動提供他們另一種繼續為博物館服務的機會。

這項「與經典之作相遇」的活動逐漸發展成為跨世代的活動；在 1990 年，館方和跨越日間照護中心（Stride-Rite Day Care Center）進行合作，該中心主要是為老年人和幼童提供照護。蘿冰說：「這是我們做過最令人振奮的事，因為廣大民眾皆受益。」

第二項活動計畫是專為兒童設計的「藝術探險」（Artful Adventures），對象包括聽障兒童、學習障礙兒童以及住院的小朋友，活動內容是鼓勵這些需要特別照顧的小朋友，藉由館內所藏的美洲、歐洲、亞洲和古非洲的作品，而認識到文化的多元性。

博物館的工作人員會針對不同觀眾的需求，來調整活動的內容與方式，他們運用海報、幻燈片和一些藝術作品，引導小朋友在實地參觀前先認識館內不同類別的藝術品。在活動中，小朋友踏入了文化殿堂；他們可以讓畫中的景致重現眼前，並比較亞洲繪畫和歐洲繪畫的異同之處，還能使用西方和東方的作畫工具，或是想像自己身處於一幅風景畫中，然後動手畫明信片，並寄回家。

特別服務企畫部門的助理唐珂（Susan Duncan）表示，這樣的導覽不僅能激發小朋友的創作力，也充分彌補了教育體系中藝術教育的匱乏，「因為，小孩子在學校中通常沒有太多親身體驗藝術的經驗。這項活動是第一個融入正規教育制度中的藝術活動，對許多小朋友而言，這是一個與藝術邂逅的難得機會。」

另一個活動「人與空間」（People and Place），旨在引領有學

習和發展障礙的成人走進博物館的世界。透過動手繪畫、說故事和肢體活動，館員帶動這些觀眾與館內的畫作互動，同時期待他們能對所見到的事物，有更多的感受、發現以及回應。

最末一項活動計畫「感受形狀」（Feeling for Form），則是以視障兒童和成人為對象，這項觸摸式的活動內容，主要是介紹多種精挑細選出的雕刻品、家具和館藏藝術品。唐珂表示，館員在規劃活動內容時，通常會選定一個主題，如此能使觀眾更容易瞭解，舉例來說，活動的主題可以設定為「動物」，「由於館內有許多和動物相關、且可以觸摸的典藏品，所以，館員就能以有條理的方式進行導覽。」唐珂說道：「觀眾可以先參觀亞洲展示區，觸摸亞洲獅子，然後再參觀古典展示區，並觸摸那裡的獅子，這兩種體驗是迥然不同的。」有時，會安排成人觀眾去觸摸和探究來自研究部門的古代藝術品，還有紀念性雕塑的縮尺複製品。最後，會比照「藝術探險」活動，讓觀眾親自動手彫刻動物，而且帶回家。

當蘿冰和唐珂在推動這四項活動時，僅能仰賴參與的 40 位義工，而培訓這些義工需要各種不同的方法，例如，「感受形狀」活動的每月訓練課程，已經成為這群義工的定期午間聚會，有時他們就是聊聊有哪些團體前來參觀，哪些地方做得好或是不好，以及如何改進等。有時候，則有來自於殘障團體的專家前來授

課，教導義工更多的導覽技巧，「例如，如何協助視障者辨認彫刻品的各個部位，描述物件的口語解說技巧。」蘿冰說：「打個比方，你可以說這個石棺的大小尺寸和浴缸差不多，這樣可以讓視障者更容易瞭解文物的尺寸，因為光憑觸摸文物的一小部分，是無法體會到它真正的尺寸和形狀。」

「導覽人員必須和視障者交談，而非只和其同伴說話，譬如，千萬別只是問他的同伴說：『她今天想做些什麼事？』假使你因故需離開一下，一定要告知視障觀眾，否則他們可能以為你還在那裡，所以開始對你說話，這樣的狀況會很糗。」

在瞭解與視障觀眾相處時需注意的細節之後，蘿冰在訓練課程中還會特別強調毋須過於刻意，「最重要的是要避免過於拘束或是刻意表現。」蘿冰說：「導覽人員只需以正常方式解說即可，他們可以自然地說：『在那裡，你可以看到……』這類的句子。如果刻意刪除所有關於視覺的詞彙，只會使人覺得尷尬。」

為了提昇培訓課程的成效，蘿冰常邀請殘障者參與，「即使我充分瞭解所有狀況，但能夠親自聆聽視障者的心聲，會讓義工有不同的感受，而且他們可以當場提出疑問，使自己逐漸進入狀況。」

蘿冰也試著將無障礙的理念，推廣至博物館內的其他活動。例如，博物館在 1990 年所舉辦的「新美國家具展」中，有一位木匠皮雪拉（Michael Pierschalla）參與；皮雪拉在青少年時期喪失聽力，但在重植耳堝之後又重拾聽力，所以，他能夠十分恰當而技巧地為聽障或視障觀眾進行導覽。蘿冰極為推崇皮雪拉能運

用個人殘障的經驗，而使其導覽解說十分成功：「皮雪拉在中學時即失去聽力，這是相當痛苦的事，但他以自己的力量克服一切。對於那些有失落感的年輕人，他能夠充分的感同身受。」蘿冰說。現在，皮雪拉是館內特別需求委員會的成員之一，並和博物館保持密切聯繫。

　　儘管這些為殘障者推出的活動成效良好，蘿冰仍覺得尚有許多障礙必須克服，而主因是資源不足。例如：當博物館想要接待更多聽障觀眾時，聘用手語翻譯人員的高昂費用就是個問題，蘿冰強調：「我覺得當你在聽障觀眾前展出畫作時，必須要承認展出的成功與否，是維繫於支持經費的多寡，否則，就是不公平的。要克服這些障礙，需要創意的作法。」最近美國政府頒佈法令，規定博物館有義務為殘障人士提供服務，蘿冰對此舉雖然感到高興，「但我實在擔心如何持續推動這些參觀服務，同時，也無法保證是否還能提供更多的服務。」

　　蘿冰同時提到，博物館進用殘障員工的事宜也因預算問題而受到影響，例如，最近蘿冰的部門想要聘用手語翻譯人員，和以一年時間培訓聽障的館員，這些計畫都受到阻礙。她說：「對殘障者而言，融入館內的工作並不容易，這需要時間和努力。目前這些問題日趨嚴重，不過，解決問題實在需要時間、資源和執行的決心。因此，我認為在制定法律時，必須要在經費方面堅持到

底，並且協助那些致力於輔導殘障者與其他人一起共事的人。」

　　雖然仍有許多困難，但是這些為殘障者所舉辦的活動成效卓著，蘿冰以博物館強調提供觸摸式的導覽服務來說：「視障觀眾藉由觸摸與親近藝術作品，不僅得到了難以言喻且無法衡量的感受，更是書面閱讀或口語解說等方式所比不上的。一些情感冷漠的觀眾，可以透過參觀博物館的感受，去豐富他們與人相處的經驗。」蘿冰說道，大眾由此所獲得的最大收穫就是：學習可以有許多種方式，而，藝術是屬於每一個人的。

Chapter 14

麻州
史德橋市老史德橋村
Old Sturbridge Village, Sturbridge, Massachusetts

　　老史都橋村（Old Sturbridge Village）是一所戶外的生活史博物館，建館宗旨為：藉由引介新英格蘭過去的面貌，讓現代美國人能夠更瞭解自己的時代。透過典藏、出版和活動計畫，老史都橋村呈現了 1790 年至 1840 年間，新英格蘭小鎮日常生活的風貌。為了能夠更生動真實的重現歷史，館中有受過訓練且著傳統服飾的導覽人員，並採用古時農耕技術，還有交易活動和手工藝品製作的演示。。

　　整個館區佔地超過200英畝，在館區的中央地帶，是由房子、商店、辦公室和會議廳群集而成的市中心，外圍則環繞著許多農場、商店和新英格蘭時期不可或缺的各式工作坊，包括有：磨粉坊、鋸木坊、紡織坊、鐵匠作坊、木桶作坊以及印刷工作坊等，有些建築物是重新建造而成，有些則是自新英格蘭地區搬遷並在此修復而成。

　　要使整個館區達到無障礙空間的要求是個繁複棘手的問題；因為館區中滿是歷史性建築物，在此要打造出無障礙空間，就像是要把一個小鎮大幅翻修一樣，而這種作法很可能會改變原有的歷史風貌。

　　由於面對這個高難度的挑戰，老史都橋村必須審慎而全面的進行評估；館方在 1986 年成立了諮詢委員會，成員包括有：社區

殘障團體負責人、支持殘障者的律師以及館內人員，委員會的目
標旨在規劃如何推行無障礙空間計畫，同時，懷特（Eric White）
被任命為推動計畫的負責人，執行副總之一的喬治（Alberta
Sebolt George）則擔任計畫的督導。

　　經過一番努力，依據懷特對無障礙需求的評估，卓越的「老史
都橋村無障礙推行計畫」（Old Sturbridge Village Access Tran-

sition Plan）出爐了；計畫中詳細規劃了館方如何依照預定進度，逐步達成無障礙空間的目標，同時，從厚達31頁的計畫內容中，也可看出為何「老史都橋村能，其他人卻不能」。

在計畫中詳列了不同階段的目標，包括：一年的短程目標、三年的中程目標和五年的長程目標，每一個目標都十分明確，並訂出負責執行的人員與完成時程。

舉例而言，有一短程目標訂定為「加強與聽障者溝通的方式」，其下並設定了三項主要工作：（1）安排常態性的定期手語導覽，（2）為有興趣的館員開辦手語課程，（3）加強手語導覽活動的宣傳。

在計畫中，難度較高的是中程目標和長程目標，而這些較大的目標會再分成幾個較易達成的小目標，譬如，大目標是「改善館區道路俾便觀眾通行」，可以分割成類似「試驗各種道路表面的鋪石方法」，這樣較易執行的工作項目，並且指派專人負責。計畫內容鉅細靡遺，包含項目大自：提昇展示區的硬體設施與資訊傳達方式的無障礙程度，小至在入口處地圖上的加大標示文字。而長程目標之一則是著重於工作進度的掌控，如此可確保工作成效。

這個計畫進行得相當成功，懷特說：「現階段我們已完成短期目標，目前正朝中程目標邁進。」在計畫的第一個階段，老史都橋村加強員工培訓，改善道路品質，並與各個殘障團體建立新的聯繫，改善指標，改善展示區和公共空間的硬體設施，增加體驗與參觀展示品的方式，以及加強展示區的可及性，以利殘障者參觀等，多項措施不勝枚舉。

然而，有一短程目標「提供殘障者工作機會」，並未順利達成，懷特表示：「這是基於經費考量。由於目前正處於衰退時期，所以只能過一段時間之後再來進行。不過，幸好我們原有的館員中已有多位殘障者。有時，我們就是無法如預期般順利達成目標。」

　　這項計畫內容非只是詳列緣由與目標而已，而是實際執行的良好規範。此外，有顯著的目標和支援固然重要，不過，更需要有人負責推動執行。

　　這項計畫最特別之處在於：有如此多的館員參與不同的工作，同時並強調無障礙空間是每個人工作共同的目標。由於計畫內容清晰而慎密，因此每個人每項工作的完成時程都規範得十分清晰，整個計畫強調進度的精確掌控與各司其職，絕不會因有人懶怠而使整體進度延宕。

　　不過，有了詳盡的計畫內容並不保證工作即能具體執行。在過去幾年中，由於觀念的轉變，也影響了館方對無障礙空間的思考方向；原先，館方的認定是開發一些特殊觀眾可參與的初階活動，如今，思考的核心轉變為針對特殊觀眾族群，而非僅是開發活動。

　　「我們開始瞭解到問題不僅在於將殘障者區隔出來，而是無法讓所有觀眾享有相同的服務。」懷特說：「基本上，只要是適合殘障觀眾的活動，對一般大眾亦然，因此，與其針對特殊對象規劃活動，不如讓所有觀眾都能參與。不過，我們還是推出一些針對特殊觀眾的活動，目的是從中學習有哪些部份可以做得更好，並將這些心得應用於其他的活動規劃中。」

　　觀念的轉變也影響及人員培訓的方式，很幸運的是，館內的導覽人員都相當資深且經驗豐富，他們知道如何引領殘障觀眾參觀博物館，「觀念的轉變還帶來另一個好處：使得館內員工的流動率降低。」懷特說。

　　「現在，當我們與其他團體合作時，委員會的成員會參與討論或是協助進行培訓課程。」懷特說：「現在，博物館的作法和之前稍有不同。因為我們認為：良好的訊息呈現方式是達成無障礙環境的重要關鍵，所以，我們現在關注的重點是基本的傳達技巧；換言之，只要適用於殘障觀眾的，對一般觀眾亦然。」

在目前的導覽培訓中，不是要求受訓人員單純為聽障觀眾進行解說，而可能是這樣的假想狀況：「當你面對一群各式各樣的觀眾，其中包括一位14歲的男孩、一位聽障者和一位大學教授時，你如何進行導覽？」受訓人員在演練完之後，接著面對的假想狀況可能是：「如果這位大學教授也是聽障者，你又該如何解說？」

儘管整個計畫逐漸轉變為針對每一位觀眾，而非僅是殘障觀眾，老史都橋村有一項為殘障者所舉辦的活動，仍然值得一提；這個活動每年舉辦兩梯次，每梯次為期十周並在每週四舉辦活動，對象是5或6年級有學習障礙的學童，每位學童都有一位熟悉歷史的導覽人員伴隨，懷特說：「這是種一對一的學習輔導，導覽人員和學童之間會建立起濃厚的情誼。一開始的四次參觀，主要是了解這裡的生活方式，包括：家庭生活、人們工作的型態以及社區的生活方式。」

之後，每位學童會學習館內展示出的某一項手工藝，例如：在開放式的爐灶中烹飪，編織和縫紉，印刷，在錫匠或鐵匠作坊工作，或是在家料理家務。通常，他們可以親手製作帶回家的紀念品，「如果是在鐵匠作坊，通常會做類似三角鐵架的東西，如果是在錫匠作坊，則是一些燭台或盒子之類的東西。」懷特說。在整個參觀活動中，導覽人員身著傳統服裝，有些常駐在館區某個

定點以協助學童，有些則會全程伴隨著學童。

懷特說：「整個活動最精彩的是，導覽人員穿著傳統服飾的那五次活動。據導覽人員表示，活動剛開始時小孩子總是十分安靜害羞，導覽人員會帶著他們做一些簡單的活動，一起四處逛逛、認識彼此。而在第五週的活動之後，大家都彼此熟識且進入狀況，你可以看到每個人的信心都提昇不少。」整個活動的最高潮是由這些學童，遵照十九世紀的儀節，為父母親、兄弟姊妹和老師準備晚餐。

這個活動讓參與學童受益良多，懷特說：「他們終於有機會能夠成功的完成一件事，而且成為眾人關注的焦點，對那些從未有過這種經驗的人來說，實是意義非凡。我認為這是我們最棒的活動。」

Part

IV

教育訓練展活力

[*Training*
Programs]

[15] 加州
舊金山市美術館
The Find Arts Museum of
San Francisco,
San Francisco, California

　　任職於舊金山美術館，負責規劃殘障觀眾活動的承辦人布朗（Tish Brown），獲知有好幾個高齡殘障團體要來參觀特展，同時並參加一場演講時，實是憂喜參半，喜的是觀眾有心向學，憂的是美術館的演講廳無法容納這麼多輪椅。

　　布朗和其轄下的館員並沒有讓來者失望，他們很快就知道要怎麼做，「我們拆掉了演講廳裡的三十個座椅。」她大笑著說：「這是一次有趣的螺絲起子練習。」這個實例足以證明該館要讓所有觀眾──包括殘障者在內，參與館內展覽與活動的決心。

　　舊金山美術館係由狄楊格紀念美術館(M. H. de Young Memorial Museum)與加州榮譽勳章之宮（California Palace of the Legion of Honor)兩機構所組成，前者展出美國、英國與古代藝術作品，以及非洲、大洋洲和美洲的傳統藝術作品，後者專門收藏歐洲藝術作品與紙藝作品。

　　狄楊格紀念美術館占了一整個樓層，其展示空間與出入口都是無障礙的，在入口處還可租用輪椅。館內的盥洗室可供坐輪椅的人使用，並設有高度調低的飲水器，此外，並有臨近美術館入口的殘障者專用停車位，布朗說：「我們甚至說服市公車處，增設到本館的行車路線。」

　　加州榮譽退伍軍人紀念宮則是仿十八世紀法國式樣的建築物，
她說：「如今正逐漸將其改建為無障礙空間。」，整個美術館預
計在 1992 年中封館整修，同時，將包括無障礙空間的改善與整
建。

　　布朗的目標是：確使殘障觀眾能參觀所有的館藏作品與特展。
每年為殘障觀眾而設的活動超過一百五十場，總計約有5,000名
殘障者與年長觀眾參與。

為殘障觀眾而設的活動，包括有各式各樣導覽活動，並由受過特別訓練的導覽人員帶領。在 1970 年，由兩館義工一手建立的「為失聰者導覽計畫」可謂志向宏遠；有心擔任聽障者導覽人員的義工，每週一次跟老師學手語，至少必須上過一年的課程才能加入導覽計畫。參加「為失聰者導覽計畫」的成員，包括灣區一帶幾個館所的導覽人員，這些人每月一次到其中一個館所去實習。布朗覺得這個計畫扮演非常重要的角色，不過她坦承：「我不得不說這個計畫很難維持下去，因為義工人數目前驟減，而這個計畫非常、非常需要增添人手。」

　　為了解決義工人數驟減的問題，延攬年輕人來參與計畫不失為可行之道，布朗於是推出「美術館大使」計畫；由美術館聘雇、訓練來自當地公立學校的高中生，讓他們得到一個寶貴的教育機會，同時協助美術館思考他們所服務的社區內種族分佈問題。這些高中生每次學習館內某一部份收藏品的知識，然後在館內導覽，並到館外探訪療養院、退休老人之家和中、小學。

　　布朗表示，要對大部份都有學習障礙的殘障學生進行培訓，需要額外的耐心與恆心，但結果是值得的，她說：「訓練這些高中生，難保不培育出幾個未來的明星。有一位參與培訓學生，他在歷經波折後遷居舊金山，由於他是聽障者，因此需要上特殊教育課程，那時他可說是正處於人生重新出發的階段。後來，他成了美術館大使中的佼佼者，在校還是個品學兼優的好學生。如今他就要上大學了，這真是一件好事。」

　　美術館為失明與弱視的觀眾提供了一些可以用手觸摸的展品，據布朗表示，其涵括範圍包括：羅馬時代晚期的石棺，十六世紀

飾以各種人體姿態的巨型燭台，以至二十世紀的彫塑作品與家具。有趣的是，視障者特別喜歡家具，因為其上披覆的絲絨罩套觸感非常良好。除了展出的藝術品之外，美術館還收藏了供作研究用途的 500 件非洲、大洋洲與美洲的藝術品，只要參觀團體事先預約，這些收藏品都可供參觀。

這些研究用收藏品以可觸摸的方式展出，原先是每月舉辦一次的活動，且只針對視障觀眾，但隨著消息的傳開，館方終於體認到這些收藏品的巨大魅力，因此便對所有觀眾開放，而不僅限於殘障觀眾。

美術館還為殘障觀眾特設藝術研習營；經過導覽人員簡短的講解之後，觀眾可以跟著藝術家狄洛斯（John DeLois）一起作畫，並根據剛才欣賞過的藝術品自行創作。例如，在觀賞過美國肖像畫展之後，可以依樣畫葫蘆試畫一張自畫像，或者在觀賞完非洲彫刻品或美洲民俗藝品之後，也動手製作一個。

布朗說，狄洛斯的教學經驗包括在當地監獄擔任駐監藝術家，「他是一位奇妙的藝術家，更重要的是，他是一位懂得因材施教的好老師」，他擅長運用許多素材，能夠迎合各式各樣觀眾的需求，對美術館幫助很大。

布朗說：「不論是有學習障礙的三年級學生，或是剛戒毒而正在復元中的二十來歲青年，狄洛斯能讓兩者同樣都覺得坦適。」

當然，要推出適用於各式各樣觀眾的活動計畫必然會面臨挑戰，然而，美術館還是有心為重度殘障觀眾提供適合他們的活動。舉例而言，正如布朗指出的，「有些嚴重畸形的觀眾只能告訴別人，他要把顏料放在那個位置，他們連動手作畫都有困難，不過，繪畫的方式本來就有很多種。」

美術館準備了許多資料以協助殘障觀眾；有一本特別的手冊，其中說明館內提供的各項服務，公車路線簡介，以及停車場位置等。館內的展覽指南備有大號字體版本與盲人點字版本，每逢推出大型特展時，其展覽指南都會有盲人點字版本、大號字體版本與錄音帶版本。針對失聰者的導覽計畫，則以同步講解方式，完成了美國收藏品部份的導覽錄影帶。美術館還對1,400名殘障者與組織寄發上述計畫的年度簡介，並且每季更新資料。

推動這些計畫，固然需要館員與導覽人員的共同努力，不過，布朗將此一為特殊觀眾服務計畫的成功，特別歸功於這些計畫的顧問委員會。她說：「我聽取這些藝術與殘障專家的建議。」在十二位顧問當中有十一位是殘障者，這些顧問代表了灣區一些傑出的殘障者機構，布朗同時表示，舊金山地區「是為殘障者爭取民權的前鋒」。

這些顧問與殘障者相處的體會，以及協助他人與殘障者相處的經驗，使他們成了美術館培訓計畫的主角，在美術館最近舉辦的一個培訓中，就有好幾位顧問協助導覽人員，為即將開幕的特展作好準備。

首先，數年前才成為殘障者的主持人霍姐絲（Laurie

Hodas），會說明殘障觀眾可能遭遇到的困難，例如：厚地毯會讓輪椅卡住，以及解決問題的方法，如：導覽人員要隨時伸出援手。

其次，任職於獨立生活中心青年服務部門，同時也是視障者的顧問史東（Sander Stone），教授導覽人員應如何幫助弱視的觀眾。最後，一位與成長中的殘障者一起工作的藝術家，則討論到藝術研習營的活動應該與畫展有關，同時要讓殘障團體有機會參加。

身為顧問的霍姐絲指出，顧問委員會的角色並不僅限於訓練，例如，委員會最近針對兩個美術館的無障礙環境完成一個廣泛性的調查，她說：「這個調查耗時甚久，且動用到許多人在每週六上午進行丈量，去測量諸如：畫作高度、彫刻品與墊座的高度，以及盥洗室的門寬等。」

這些努力所帶來的收穫，不僅確立了未來推行工作時的先後目標，也帶來立即的改變；例如，盥洗室的設施被改善了，在通往狄楊格美術館的赫斯特廳的入口處，設立一條方便殘障者進出的坡道等。赫斯特廳平時除了作為展出之用，還充當宴會場所、表演廳以及接待處。

在美術館入口設置殘障者使用的斜坡道之所以構成挑戰，是因為官僚體系為資金問題引發爭議；由於這兩座美術館的建築物為舊金山市政府所有，因此，「設置斜坡道的問題，或歸入必須要

做的事項，或是可能需要做的事項，但沒有人知道何時完成？」雖然如此，美術館的行政單位依然認為設置斜坡道的問題十分重要，於是通過本案，並負擔其6,000美元的經費。霍姐絲認為這個舉動，是這兩所美術館歡迎殘障觀眾的一個明證。她說：「這真是令人感到興奮。行政部門一直聽取我們的意見，一切努力都沒有白費。」

她認為美術館矢志為殘障觀眾爭取便利，終將為所有觀眾帶來益處；因為像赫斯特廳入口設置斜坡道的這些改進，不但對使用輪椅者帶來便利，對必須推著嬰兒車來參觀的父母親也十分方便，此外，使用大號字體的說明板除了方便視力受損的觀眾之外，對必須戴老花眼鏡的人也有幫助。

霍姐絲說：「我們希望，當人們認識到殘障者之後，他們會開始認為，殘障者跟那些來博物館參觀的其他觀眾一樣，沒什麼差別。那是我們努力以赴的目標。」

[16] 德州
華斯堡市金貝爾福美術館
Kimbell Art Museum,
Fort Worth, Texas

　　金貝爾福美術館看起來不像是會推出多樣化教育活動的博物館。美術館的建築是美國建築師路易斯‧康的傑作之一，館內優美、寬敞的空間，主要為觀賞藝術作品而設計。然而，該館除了收藏少量但頂尖的歐亞、中美洲與非洲藝術品之外，它還舉辦各式各樣的研習營，並特別著重於聽障與視障兒童。由於禮堂不大且無活動教室，因此大多數的活動都是在展示廳中舉辦，研習營用的桌子就安置在展示廳裡。

　　研習營的主題通常與正在展出的作品有關；例如，當館內展出現代中國繪畫時，聽障兒童會先觀賞介紹中國毛筆繪畫技巧的影片，然後，他們可以試著用同樣的方法來作畫。當館內展出非洲的繪畫時，則讓兒童製作紙面具，並在其上飾以珠子和織物。參與的兒童都十分喜愛這些活動，不過，這一系列教育活動的目標卻是十分嚴肅的，負責研習營的承辦人采絲坦（Sharon Chastain）說：「我們不斷強調基本繪畫概念，像是線條、形狀、色彩。同時，我們還教導他們認識其他的文化。」

　　典型的研習營以兩個小時為活動時間。一開始，將參與的學生分成四組，每組約有六、七個人，每一組有兩名導覽人員以及一或二位手語老師。舉例而言，在回教藝術的研習營中，學生先觀賞一段介紹回教建築、磁磚與陶器上幾何圖案的影片，然後他們來到展示廳，經由導覽人員與手語老師的解說，觀賞展出的作

品。之後，大家回到研習營工作區，討論所見到的事物，分享觀察地毯、磁磚與手稿上幾何圖案的心得，而動手做的材料已擺在桌上，有六角形與八角形的圖案模板，利用這些模板，學生可以設計製作自己的圖案，並用彩色鉛筆上色。

采絲坦通常會讓學生有休息的時間，她說：「老是讀手語蠻累人的。」之後，學生會再回到展示廳參觀回教花卉的設計，然後自行創作，再把自己設計的花卉圖案繪到磁磚上。

舉辦這樣的研習營，事前需要許多準備工作，除了備妥所有的教材與材料之外，還要確定老師、導覽人員與手語老師全都拿到了所需的資料。采絲坦要準備的資料包括有：基本概念的介紹，繪畫用具與材料，一般背景資料，有時還得準備幻燈片。在附近塔朗郡專科學校（Tarrant County Junior College）主持為聾人解譯計畫的辛納托（Mike Cinatl），便負責審閱這些資料，以及設計基本手語詞彙。

在活動舉辦的一週之前，這些資料會送到學校教室與導覽人員手中，好讓大家都有機會準備，並熟悉一些藝術詞彙。采絲坦說：「你發現有些口語的詞彙是沒有手語可以表達的，所以，在研習營中學生總是會學到新的手語詞彙。遇到沒有手語可以用時，辛納托便自創一個，有一次，為了配合當時希臘陶藝的展出，我們舉辦了一個神話研究的研習營，結果辛納托不得不以手語杜撰諸神的名字」。

　　采絲坦每個月還主持一個研習營導覽人員的培訓課程。當導覽人員拿到新的研習營資料時，他們會討論可能發生的問題，「問題必須要事先解決。」采絲坦說：「你必須要知道，在決定自己站的位置時，要考慮到畫作與手語老師的位置。我們會事先排練，讓研習營的手工藝與繪畫課，與將會參觀到的藝術作品產生關連。我們還會把整個活動計畫細分成好幾個部份，這樣你就不需要嘮叨，只須下達指令，然後讓他們去做就行了。」

每一場研習營的策劃與準備工作耗時甚長；每場研習營需要八名導覽人員，六到八名手語翻譯人員，而絕大多數博物館都有找人的困難，更別談每個研習營長期聘雇這麼多手語翻譯人員的費用問題。金貝爾福美術館很幸運的擁有一些良好的條件；手語翻譯人員來自於塔朗特郡專科學校為聾人手語譯解計畫的學員，而金貝爾福美術館是公定的實習場所，大約有十來個學員在結業後被指派到美術館來工作，他們是不支薪的，不過他們必須圓滿完成在美術館的工作，才能拿到結業證書。

有了這些導覽義工以後，導覽工作就成為心甘情願的付出。采絲坦說：「我手下有八名協助聽障者參加研習營的導覽人員，他們大多數從在學時期就開始服務，且畢業之後仍然持續下去，還有些人是從 1983 年我們開始推出實驗計畫以來，一直服務至今。他們會去閱讀有關聾人教育的資料，並累積實務經驗，有些人同時還為視障者研習營工作。雖然，這兩種工作所遭遇的問題截然不同，但是，你針對個別觀眾的需求所量身訂做的導覽內容，是可以在"翻譯"後使用於另一個研習營。」

就如同手語翻譯人員一樣，導覽人員也需要經常被考核，采絲坦說：「如果我們看到有人用太多手勢，或沒有配合手語翻譯人員，或是臉色不對，就會要求他們重新受訓。我們總是希望研習營能夠不斷的改進，並從實務中學習。」

采絲坦與導覽人員很早就學到：不要使用他們所知有限的手

語。所有的導覽人員都學會用手語表達一些話語和表情，采絲坦還選修過一、兩個學期的手語課，不過，她說：「手語非常難學，就好像在講法語時還得彈奏鋼琴一樣。」在早期舉辦的研習營中，導覽人員會用手語歡迎學生並自我介紹，讓學生誤以為導覽人員能以手語跟他們溝通，等到學生發現這些導覽人員並不懂得手語時，他們會變得失望、憤怒。

要順利推行聽障兒童研習營的計畫，需要的好運不只是美術館就位於訓練手語翻譯員的學校附近，以及有一批願意獻身的導覽人員，更重要的是，需要有來自上層的支持，而金貝爾福美術館剛好擁有這一切有利的條件；1980 年代初期，館長皮爾斯柏瑞（Edmund Pillsbury）就決定要將美術館的資源開放讓社區中所有的人都能共享。他的用意並非指建築物的無障礙環境，因為這座剛落成啟用的美術館，自始就注意無障礙環境的問題，他真正的意思是要讓所有的活動都能深入整個社區。

貫徹這個政策的結果是推出一連串的研習營活動，參加對象除了聽障兒童之外，也包括聽障成人、親子觀眾，以及視障兒童。所有研習營都極富創意，但以視障兒童的研習營最值得一書，因其開拓了新境界。

在 1982 年開始負責推動研習營的是教育部門的研究員殷格蘭（Marilyn Ingram），在推出之前，她曾寫信給美國全國各地的博物館，希望找到一個可資參考的範例。可是，她說：「我找不到任何人能給我一點頭緒。不過，我認為這個計畫必然可行，因此，我們就試著去做看看，反正就是邊做邊學。」

殷格蘭碰到了一位視障兒童的良師，那就是尼莉（Chery Neely），這位擅長教導視障兒童的老師，幫助殷格蘭找到了圓滿達成目標的有效方法。研習營的目標是：不要讓兒童僅注意到藝術活動中愉悅的部份，應該還要教導他們藝術的原理。「我覺得視障者欠缺我們生活中不可或缺的東西，那就是對於對稱、和諧以及比例等觀念的了解。看不見的人很難吸收這些觀念，但這些卻是了解音樂、文學、邏輯與詩歌的基礎。」

　　對於一群只有起碼視力甚或完全沒有視力的八歲兒童，要如何教導他們平衡與比例的觀念呢？殷格蘭從美術館本身做起；為了讓兒童能夠了解"井然有序的空間"的概念，美術館製作了一個縮小比例的美術館建築模型，讓兒童可以藉由觸摸去探索這個建築物的對稱與韻律。殷格蘭解釋說：「我們的建築物所用使的材料種類不多，就是淡色石灰岩、水泥、不鏽鋼和木頭而已。但這些材料在一致且富邏輯性的運用之下，你覺得它們具有某些意義。淡色石灰岩橫跨了二十呎，木製護牆板則橫跨十呎，這樣的組合在巨大的牆面一再重覆出現。這是一棟對稱式的建築，而對稱的概念對他們的學習十分重要，因為這個概念並不容易學到，也無法靠直覺學到。」

　　殷格蘭帶領視障兒童來到通常不准觀眾進入的研究圖書館，讓他們感覺到天花板的拱頂，她還讓他們用手去觸摸彫刻品，並准許他們手上不用戴通常照規定須戴上的棉質手套，她嫌這種手套太厚了，不適合這些以觸感來認識環境的兒童，並為他們準備「像醫生手術時戴的那種手套」。兒童利用東西的質感來拼湊出空

間的面貌，「凡是近的東西他們都能夠仔細觸摸，凡是遠處的東西他們只能夠察覺。因此他們用絲緞代表非常遙遠的東西，而以粗糙的紋理，例如羊毛花呢與帆布，代表近距離觀察的東西。」

他們也透過一些活動來學習結構的概念，像是：觸摸一個剖開的鸚鵡螺，他們可以觸摸到螺上的每一個小室，同時，還用塑膠發泡材料搭建一個大型的拱門好讓他們可以穿越其中。

此外，他們利用天平來學習平衡的概念，在天平支軸的兩端各有一個托盤。自從 1989 年以來一直負責視障者研習營的采絲坦說：「平衡通常屬於視覺判斷，但可以用天平測量而得」。

這些努力的結果有好有壞；就好的一面來說，研習營活動成效卓著，但是，由於學校的經費被削減，所以無法送學生前來美術館參加活動，因為，美術館雖然自付研習營的費用，不過學校必須安排交通工具載送學童來館。去年，原先每月舉辦三次的研習營，減少到每年只有三次，且只有阿靈頓學區的學生前來參與。

發生像這樣的情況或許只好泰然處之，但不能或忘的是，至今辦過的研習營確曾發揮功效，且足為後人樹立典範。

[17 加州 柏克萊市勞倫斯科學館
Lawrence Hall of Science,
Berkeley, California

「勞倫斯科學館所有的計畫都有一個共同目標：激發對科學與數學的好奇心和興趣。」戴萌德（Marian C. Diamond）館長說道。勞倫斯科學館成立於 1968 年，設於加州柏克萊大學校園內，該館所扮演的角色融合了科學博物館與研究機構，並以提昇學校科學教育為宗旨。

多年來，勞倫斯科學館推出了數百項生動活潑的計畫，活動主題包羅萬象，上自天文學，下至生物學、化學、地球科學、數學、物理學以及技術等。每年至少有九萬多名從幼稚園到高中的學生前來參觀和參與展覽、電腦實驗室和實驗教室，有些人則來參加各種研習營，主題包括有：史前之謎、犯罪實驗室化學、追蹤恐龍、哥倫布帶來的環境衝擊、有人在嗎、以及錫罐照相機等。此外，勞倫斯科學館的工作人員，還親往各校去舉辦講習活動，換句話說，北加州另外還有128,000名學生也同時參與了這些活動。

戴萌德說：「勞倫斯科學館推出的活動，旨在協助學生從動手做中來學習數學與科學。」這句話也點出了該館參與式導向的教育理念，基於此項理念，勞倫斯科學館率先推出促進殘障兒童認識科學的教育計畫。

1976 年，隸屬於勞倫斯科學館的多元感知學習中心(the Cen-

ter for Multisensory Learning, CML)，獲得美國教育處(the United
States Office of Education)資助，負責為視障學童舉辦「視障者
科學活動」(Science Activities for the Visually Impaired, SAVI)，
此一活動係針對小學高年級到初中的盲生與視力受損學生，提昇
其科學知識而設計。該中心花了三年時間研製特殊器材與開發新
課程，最後並推出九套參與式且為多感官體驗的科學活動教材。
經過廣泛的實地測試與驗證，館員發現：不僅盲生與視力受損學

生適用這些教材，就連其他殘障學生也十分適用。

這個好的開始，理所當然有了後續發展。1979 年，美國教育處撥下了第二筆補助款，館員開始將原先為視障學生設計的科學活動，修改為適用於學習障礙與畸形兒童，他們並開始研究如何使這些以認識科學為主旨的參與式活動，能夠發揮最大的效益，以供一般殘障學生之用。這個名為「提昇肢障者之科學學習」活動(Science Enrichment for Learner with Physical Handicaps, SELPH)，其所用的教材與教具和先前為視障學生所設計的SAVI計畫合併，產生了一個名為 SAVI/ SELPH 的新計畫。

九個學習單元包括有：度量（其中一個活動名為：帶我到你的公升去）、認識生命（主要研究種籽的生長情形）、通訊與聲音物理學、以及廚房互動天地（體驗日常家務中常見的事物，例如酵母的變化）。在電力與磁力的學習單元中，學生要自行設計電路與磁系，以研究永磁體、電磁、絕緣體以及導體。至於在認識環境能源的學習單元中，學生則要製作一些以日光與風力為動力來源的工具，並藉此認識各種替代能源。

這些教材使用於多元感知學習中心的研習營中，學校或個人並可購買套裝教材。每一套教材一次可供四名重度殘障者使用，如果是共用教材的話，則可供十六個人之用，此外，尚有教師手

冊、訓練手冊以及錄影帶。雖然這整個計畫耗資970,000美元，不過，這些教材都只以成本販售。

多元感知學習中心不但推出新的教材，還訓練一批教育人員教導這些教材的使用方式。在獲得美國教育處額外提供的696,000美元資助後，該中心的工作人員經營了散佈在全美各地的三十個區域核心中心，並培訓了二十位區域性的教師，以教授多元感知學習技術，同時舉辦了數百次研習營。多元感知學習中心還設立了一座開放教材租用的圖書館，對希望將多元感知學習技術融入個人教學計畫的教育人員，隨時提供諮商服務。

「這些區域核心中心籌設了一個全國性的人才網絡。」多元感知學習中心的承辦人員狄魯契(Linda De Lucchi)說：「這幾年來共有300人自本訓練計畫結業。如果有人在丹佛地區打電話來表示對這個計畫感興趣，我們除了寄資料給他之外，也會告訴他在當地有誰了解這個計畫。到目前為止，這個人才網絡運作得相當良好。」

多元感知學習中心對殘障兒童電腦組織(Disabled Children's Computer Group, DCCG)的成立也幫了大忙，該組織設立之宗旨，在於利用電腦協助一般殘障兒童。狄魯契說：「我們在1983年獲得美國教育處的小額補助，用以研究嘉惠視力受損學生的科技。」

「對於社區中許多殘障兒童的父母來說，雖然知道有科技用品能協助孩子改善生活品質，但卻沒有試用機會，也無法跟其他有類似需要的人交換意見，所以他們相當失望。有鑑於此，勞倫斯科

學館過去一度曾是殘障兒童電腦組織的集會地點，我們舉辦了許多集會，讓對輔助殘障學生的科技用品感興趣的父母、教育界人士與專家共聚一堂。」

殘障兒童電腦組織如今已成為家庭與教師前來試用各種新式軟硬體的電腦資源中心，狄魯契說：「殘障兒童可以坐到電腦前，進行各種嘗試。有許多研習營讓兒童能夠跟電腦互動，讓他們去找出對自己學習最有幫助的東西。」

殘障兒童電腦團體包括學習障礙乃至弱視等各種殘障兒童；有些兒童需要電腦鍵盤以外的輔助設備，於是資源中心或特製加寬鍵盤，或增加其他輸入到鍵盤的設計。這個電腦團體幫助的兒童包括不能講話者、不能拿筆寫字者、非常聰明卻得了大腦性麻痺者，以及只能藉電腦溝通的兒童。部份殘障兒童除非使用電腦，否則無法表達自己。

「殘障兒童電腦組織如今已獨立成為非營利組織，是促進科技聯盟(Alliance for Technology Access)的一部份。勞倫斯科學館的館員仍與殘障兒童電腦組織的工作人員密切合作，其實，有好幾位本館員工就是其理事會的理事。」

勞倫斯科學館還推出為年長者特設的發現科學與數學講習計

畫；凡是對數學或科學感興趣的年長者，該館的生物學部門可提供兩小時免費的研習營，每一堂課包括參與式認知活動，讓年長者操作簡單的化學儀器、親近溫馴的動物以及電腦，並到天文館來一趟身歷其境的火星之旅。

館內還有一項雄心勃勃的計畫，希望對中小學教育產生積極的影響，那就是結合青少年與年長者的科學發現講習計畫，年長的義工由勞倫斯科學館的館員經由訓練之後，然後去協助中、小學生親近科學。

該館生物學教育部門主任巴瑞特(Kathy Barrett)說：「這個講習計畫要解決小學教師在教導科學與數學時的問題——並非所有學童都能完全接受其教學方式。我們訓練老師的方式是，讓他們在一個團體內工作，因此其所屬團體的成員都會到教室去幫忙，有大約四到七名熟悉活動的年長者，會分頭去幫助各個學童，使每個人都能得到關照。」

巴瑞特說：「這種方式能增進合作學習的經驗，特別是對於那些憑一人之力要教導整個班級的二、三年級老師來說。不過，這種方式會增加討論、分析的時間，但也因此，學童能夠分享更多他人的發現與想法，每個人的經驗因此得到拓展。由此可知，派一組教育人員到小學班級去上課是極有效益的。」

參加這個計畫的學校，每週舉辦一次這類講習，巴瑞特主張這類講習「至少要持續四週，因為這樣學生與年長者才能達到水乳交融。」班級老師報告說，他們的學生每次都會期盼這些年長者的到來，事過之後，他們都還是津津樂道。

想要擔任義工的年長者不必一定具有科學背景。巴瑞特說：「我們發現保持開放的態度跟孩子一起探討，遠較滿懷科學知識更好。其實，我們必須幫助科學家克服他們欲傾囊相授的本性，因為這樣會讓學童興味索然。」年長者接受訓練「去幫助學童自己做觀察，自己蒐集資料，去記錄發現的事物，然後說明這一切的意義。」

　　年長的講解人員必須接受三次訓練課程，每次兩個小時，學習他們要跟兒童一起做的活動。巴瑞特說：「如果是探討指紋的問題，他們就要去研究所有東西的印記--例如橘子、骨牌、硬幣、手肘的表面等，然後學習摘取人的指紋，再對各種東西的印記加以分類。然後他們進行團體活動討論，向以前參與過這類活動的前輩，請教學童會提出的問題。」

　　巴瑞特說，許多講習會也會用到動物，「因為生活在都市裡的兒童很少看到各式各樣的動物。我們有一個固定的活動是，在飼養箱裡放入一些小昆蟲、蟋蟀、蚯蚓等等。」

　　「另一個受歡迎的活動系列是我們的健康活動計畫，由四年級的學童用聽診器測量自己的心跳，再比較天竺鼠、絨鼠和溝鼠的心跳。他們還可以帶聽診器回家，為家中其他幼童或家人測量心跳。」

這項忘年計畫對年長者與學生都有益。巴瑞特的研究報告指出:「年長的講解人員彼此之間培養出親密的感情,而且維繫良久。幾乎所有加入這個計畫的年長義工,都一直持續跟著我們,他們全都是忙人,可是他們都把這個計畫的活動排在第一位。最令人訝異的是,這個計畫對年長者與學童來說都同樣重要。」

　　這些講習也讓兒童對年老的印象有所改變。巴瑞特說:「兒童常常對年老抱持著負面的態度。但是我們對初中生所做的問卷調查結果顯示,他們對年長者的生活態度留下深刻印象——他們認為這些年長者的生活過得十分豐富,同時,他們自己也想效法。」

　　這個計畫是在 1982 年發展出來的,當時由奇異公司撥一小筆款項資助。加州政府目前每年編列 15,000 美元贊助這項跨齡計畫,這個計畫現在於五個學區中實施,每年總有十到十二個學校參與。

　　巴瑞特相信在設有博物館或者大學的地方,最容易複製這個計畫,因為擁有必要的科學資源與良師,不過他也說了:「在義工計畫發展完備的學區,這個模式依然可行。」

[18 麻州
波士頓市科學博物館
Museum of Science, Boston,
Massachusetts]

　　由於這名就讀柏金斯學校的視障少年逐漸不安份起來，因此，博物館的策展人戴薇絲（Betty Davidson），帶著他來參觀新開放的展示廳「功能與工具」，這裡展出了一長列各式各樣的工具，每一種都與某種動物的功能互相對應，例如：熊掌和耕種用的工具，海狸似尖鑿的利牙與真正的鑿子，潛水伕所穿的腳蹼與天鵝的蹼足。展示的目的主要在於凸顯動物對環境所作的適應，「我解釋這個概念給他聽，把他的手放在熊掌上，然後告訴他把手伸到下面去，就可發現一把功能與熊掌相同的園藝工具，整個展示廳都是這樣。他先摸過熊掌之後，再往下方摸到園藝工具，你可以看到他的表情一下子豁然開朗，一看就知道他已經了解了。然後我開始要解釋下一個，可是他打斷了我的話，他說他知道怎麼做了，不用再告訴他了。」

　　「看他興奮成那個樣子，不必有人陪他參觀或是為他做解說，他可以自己來，而且抓得住訣竅。這種展示方式為他開拓了眼界，在那一刻，我覺得我們一切的付出都值得了。」

　　上述戴薇絲所提到的是一項實驗性的計畫，旨在更新館內的一個展示廳，使其中的展品能以多元感官的方式參觀，同時並將這種展示模式自殘障觀眾推展至一般觀眾。博物館希望此舉不僅使展示更生動引人，且無參觀障礙，同時也能為其他館所的表率。

　　這個計畫得以順利推動，大部分要歸功於戴薇絲；她在 1987
年進館工作，由於她擁有生物化學博士學位，擔任過小學科學資
源教師與負責課程設計的實務經驗，還有長期以來對無障礙問題
的關注，使她成為推動計畫的不二人選。戴薇絲所負責的無障礙
空間評估工作，由館方向博物館服務機構（Institute for Museum
Service, IMS）申請資助，並且獲得回應。

在隨後的評估工作中，戴薇絲向博物館所針對的對象尋求協助，並組成了一個委員會，其成員包括有：ＷＧＢＨ字幕中心推廣主任，同時也是失聰者的波賽兒（Annette Posel），國家公園處殘障專家，同時也是視障者的布魯默（Ray Bloomer），史密森機構特殊教育承辦人員梅耶絲基（Jan Majewski），至於身為肢障者的戴薇絲，則負責殘障者的動線問題。委員會並未對整個博物館進行全面評估，他們先針對幾個展示廳、靜態展示，以及出入口區域，包括停車場、入口大廳和觀眾會先停留或經過的一些地方，進行評估。

在評估完成之後，館方決定先針對「新英格蘭生態區」展示廳的動線進行改善，並向國家科學基金會（National Science Foundation）申請贊助，期使改善工作能讓這個展示廳成為典範，結果獲得了200,000 美元的補助，戴薇絲說：「這筆錢來得十分恰當。」

「新英格蘭生態區」展示廳原先採開放式手法，包括六座大型與一座小型的櫥窗式造景，展出各種動物在其棲息地區的狀況，例如：緬因州中部岩岸的鳥類，麻州境內鶴灘一帶的海狸、麋、鹿群以及海鳥，展示說明板則貼於牆上。唯一的互動式展品是兩組按鍵，按下之後有燈光會打在鳥類之上，從而顯示何者為海鳥，而何者為陸地上的鳥類。

由於此展示廳以視覺參觀為主，且照明昏暗，因此視障觀眾無法看清展品，而因顯示鳥類種類的兩個互動式按鍵距離過近，所以有協調障礙的觀眾無法使用。此外，因展示說明板上的字體過

小，不僅閱讀不易，且其位置對坐輪椅的觀眾而言也不易觀看，同時，展示說明板的內容過於艱深，以致於許多觀眾無法看懂。

戴薇絲說：「這是非常傳統的自然史展示方式，在櫥窗中擺上各種巨大美麗的展品，然後加上簡略的說明文字。如果你看不清楚，那等於無法參觀。我覺得這樣的展示方式並不是不好，只是，如此一來觀眾在只能用眼睛看而已。而這也是目前博物館中常見的展示型態。」

改善的作法並非改變櫥窗式的造景，而是使展品更易為觀眾所參觀與理解，因此，工作的第一步驟是建立一張資料一覽表，其中包含了觀眾觀看造景和展示說明板時所能學習到的內容；可以想見，其中包含的資料十分豐富。

舉例而言，當觀眾詳細觀察展出的海狸標本時，可以了解到的內容就包括了：成狸與幼狸的身形與大小，牠們的身體特徵，行為與習性，還有一些適應環境而發展出來的特徵，如用來伐樹的牙齒長得像鑿子一般，用來在水中行動的後腿和蹼足，相似扁平方向舵的尾巴，以及可讓牠們在冬天游泳時也能保暖的防水厚皮毛。

第二個步驟是調查觀眾從中真正學到了什麼。由多位立場超然的評量者所進行的調查結果顯示，學習效果微乎其微；大多數觀眾認為展出的標本動物很吸引人，但是很少有人會長時間駐足於此，有百分之十九的觀眾停留不到一分鐘。很少有觀眾能夠了解到展示的主旨——傳達新英格蘭區生態環境的多樣性，以及動物

用以適應環境的各種方式。只有五分之一的觀眾能夠說出某種動物的適應方式。簡言之，無論就知性或是參觀的便利性而言，這個展示廳都是不及格的。

　　接下來，館員與委員會成員開始列舉一些預定達成的目標，包括展示的型態與達成的效果；首先，他們希望每個人都能樂在參觀，並從中學到一些東西，其次，視障觀眾能對櫥窗中的展品有些了解，而其他的殘障者參觀時在行動上與理解上都沒有障礙，並且，所有觀眾都能學習到動物的棲息環境以及其對環境的適應方式。例如，他們希望所有觀眾都知道每一座造景代表著新英格蘭區的一種生態環境，還有棲息其中的各種動植物，以及牠們為了生存所發展的適應方式。此外，更希望觀眾能在各個展出標本之間看出彼此的相關性，舉例而言，海鷗與海狸都有一對用來泅水的蹼足。

　　之後，館員與委員會成員展開腦力激盪，盡量提出各種構想，從謹慎、務實的想法，到超炫的天馬行空點子無所不有。戴薇絲說：「我們希望將各種可能性都攤在會議桌上，作為討論的觸媒。」

　　討論之後，產生了一些共識，包括：影片中加註字幕，展示區中必須讓坐輪椅的觀眾暢行無阻，語音導覽的內容必須涵蓋展示說明板與各個生態環境的資訊，展示說明板採用大型字體與清楚的編排，同時有足夠的照明，以及增設可觸摸的展品。而工作依循的準則就是：能提昇殘障觀眾參觀興趣與學習成效的措施，也同樣適用於其他觀眾。

　　「我們做了許多測試，引進一些新事物，然後看看觀眾如何利用

它們。我邀請了好幾個團體來協助我，像是柏金斯盲校，來自學校與更生中心的肢障學童，一些失聰高中生，以及有情緒與學習障礙的小學生。」

「在每一個構想正式定案之前，我不斷邀請觀眾，包括成人與兒童，來使用這些展品，看看是否運作順暢。有些展品根據使用者的回應修改了兩、三次。」

最後，整個展示廳又進行了兩項修正：增設了造景部份的說明設施，以及說明棲息地與環境適應理論的活動區。

戴薇絲說：「新的展示必須要能夠增進觀眾對展品的認識，而不能只是『喔！一頭麋鹿！』這樣的理解。」要做到這一點，這些新的展示設施必須多元化的刺激觀眾的感官，其中包括：

■ 簡介整個展示廳背景資料的說明板，其中包括了圖表與音效兩種手法。
■ 氣味箱子。觀眾按鈕後，會啟動風扇散發出該生態造景區中特有的味道，例如麝或是雲杉的氣味。
■ 音效。觀眾可以拿起聽筒聽取造景的說明，以及該生態環境中特有的聲音，例如海潮聲與岸邊鳥類的叫聲。
■ 兩段式說明。最基礎的資料以較大的字體呈現，次要的資料則以小一號的字體呈現，同時字句盡量簡短，一目了然，讓視力不佳者、學習障礙者，以及英語能力有限的觀眾都能看懂。
■ 設置可觸摸的展品。所有人一致認為在造景中放置實體大小

的鳥類及動物標本最為理想，不過，限於經費以及有些標本
禁不起碰觸，所以無法達成這個目標。替代的作法是設置實
體大小的海狸標本一隻和黑熊標本一隻，不過許多人都擔心
這兩個標本被偷，或是禁不起觀眾兩個星期的觸摸玩弄。此
外，還增添了鸕鷀與膛鸕的複製銅鳥，其他可供觸摸的展品
尚有：白尾鹿的鹿角、馴鹿的蹄，與一隻麋，這些標本都擺

置在一起以供比較。

■ 增闢三個活動站，鼓勵觀眾畫出不同造景區中棲息地與環境
適應方式的差異，包括了：（1）動物毛皮。提供不同種類動
物的毛皮，觀眾可以觸摸並用顯微鏡觀察，例如：比較熊、
海狸與鹿三種毛皮的差異，包括它們的絕緣性和防水性。
（2）特定功能的「工具」，與可觸摸的動物「工具」。例如：
展出各種動物的嘴部與腳部，以及結構類似、功能相同、為
人所使用的工具。（3）拼組動物。為了呈現動物的身體會因
其棲息環境的特性而發展出特定功能，觀眾可以從多種動物
身體、頭部與腳部的木製積木中，選擇適當的部份，將適應
特定環境的某動物拼組出來。

這個名為「新英格蘭棲息區」（New England Habitats）的展
示，於 1989 年初開放參觀，展出成效如下：原先擔心標本會在
短期內損壞的情形並未發生，海狸標本維持了一年左右才換新，
黑熊標本則在展出一年半並歷經五十萬名觀眾的拍撫之後，才禿
了頭而予汰換，而更換這兩組標本的費用還不到兩千美元。

在觀眾方面，過去大都是成人進館參觀，如今則多是大人帶著
小孩前來，同時，觀眾在館內停留的平均時間增加了三倍以上。

現在，這個展示廳中充滿活力，參觀人潮眾多，「我很高興看
到觀眾是懷著熱誠來參觀展示的。」戴薇絲說：「看到一家人在
展示廳內各自選擇有興趣的展品參觀，真的令人高興。有時候小
男孩會四處走動，一下子去摸摸黑熊，一下子去聞聞味道，然

後，他會興沖沖的跑去將哥哥拉到展品前面，問道：『這就是黑熊的氣味嗎？』父母親有時就會湊過去，將展示的說明讀給孩子們聽。當觀眾和團體中的其他人分享彼此的心得時，所學到的東西會更多。這樣的成果令我非常興奮。」

「重要的是，這些展品不僅讓許多殘障觀眾樂於參觀，對其他的一般觀眾也產生了同樣的效果。不過，這樣的成果我並不感到驚異，真正令我訝異的是，這種展出方式大幅提昇了觀眾的學習成效；剛開始，或許只有百分之二十的觀眾能夠說出一種動物適應環境的方式，等到整個計畫接近尾聲時，所有觀眾都說得出一種適應方式，而說得出兩種的高達百分之九十。」

戴薇絲說：「不同的學習模式使每一個人都能有所獲，觀眾能藉由嗅聞、感覺、傾聽等方式而有所體驗，如果不想閱讀文字說明，或是無法閱讀，也沒有關係。這種多元體驗的模式十分重要，你不一定要做到面面俱到，最重要的是要讓觀眾能夠選擇不同的擷取資訊方式。」

雖然，比起過去這裡的展品更適合於殘障觀眾，然而戴薇絲說：「並非一定要做到十全十美，或是推出全新的展示，或是要讓殘障觀眾所到之處都便利無礙，這些是根本不可能達成的。最重要的是，要讓觀眾覺得受到歡迎，提供他們有意義的參觀體驗，即使沒有完美無缺、通行無礙的硬體設施，博物館依然有許多可以做的事情。如果有人認為一定要擁有完美無礙的設施，也不要被嚇倒了，只要你清楚的知道、接納這個觀念，並盡力而為就是了。」

Chapter [19] 伊利諾州
卡本迪爾市南伊利諾大學博物館
University Museum /
Southern Illinois University,
Carbondale, Illinois

「我們覺得自己願與任何殘障朋友共事，並且一致同意要嘗試看看。」胡芙曼（Lorilee Huffman）娓娓說起當年這項活動計畫的緣由。在此計畫中，博物館創意十足的將自身作為殘障者的訓練場所。

這項計畫始於 1986 年，當時胡芙曼是南伊利諾大學博物館收藏部門的研究員，剛好有幸認識專門協助殘障者復健的評鑑發展中心（the Evaluation Development Center, EDC）的職員。胡芙曼說：「當時，該中心正為殘障者尋找一些需要較高層次技能的工作機會，他們覺得圖書館與博物館或許可以提供一些工作機會。他們說，總不能老是介紹當事者到像是麥當勞這類的地方，而且僅能從事清潔工作，不過，實在是沒有人願意給這些殘障者一些更好的工作。而我們決定要為此事盡點棉薄之力。」

胡芙曼說，南伊利諾大學是試行這樣一個計畫的好地方，該校為殘障學生設想週到，也讓「本大學為此引以為傲」，許多殘障學生都愛上這所大學不是沒有原因的；該校擁有一個表現卓越的康復更生學系，並提供許多方便殘障學生的服務，例如閱讀器、輪椅出租以及很好的支持團體。

然而，在接納第一位殘障者來此工作之前，大學博物館與評鑑發展中心做了許多準備；首先，胡芙曼必須找出有哪些工作適合

伊利諾州—卡本迪爾市南伊利諾大學博物館　*University Museum / Southern Illinois University, Carbondale, Illinois*

用來訓練殘障者，她與在職員工討論，徹底調查清楚博物館內各項工作的性質，並據此詳列每項工作的職責，以便找出何種工作適合殘障者接受六週的訓練計畫。

這些提供殘障者學習機會的工作包括了：將收藏資料進行電腦建檔、從事有關展示的研究、協助展示品的製作安裝、協助整理收藏細目、整理大量的圖書館幻燈片檔案、監督與管理賣店用品、更新教育用途的資料、擔任博物館導覽人員、研究與撰寫藝術品作者的生平資料、從事一般研究、擔任展示廳警衛、擔任接待人員。

上述這些工作機會同時也提供給大學的學生，他們在博物館內的工作，與他們在大學部或研究所的博物館研究課程有關，有時，這些學生會與殘障者一起整理資料，或是用電腦進行資料建檔。

評鑑發展中心事先對當事者做好評鑑工作，然後才把他們推薦給博物館，一般而言，這些殘障者來自南伊利諾郡，年紀最小的是十八歲，最大的有五十五歲，有些人屬於情緒障礙，有些人是肢體殘障，有的是天生殘障，有的則是出了意外而傷殘。評鑑發展中心採用胡芙曼所謂的"全面更生方法"，許多當事人搬到校園裡來住，同時學習社會技能與獨立生活，在後半期，他們可以

199 **Chapter19** 伊利諾州—卡本迪爾市南伊利諾大學博物館 *University Museum / Southern Illinois University, Carbondale, Illinois*

搬到限制較少的半獨立生活中心。自始至終，評鑑發展中心都陪著他們，幫他們解決獨立生活問題，給予職業訓練以及諮商。有些事人還得到評鑑發展中心所發的一小筆薪金，並透過伊利諾州更生部門轉交。

當評鑑發展中心覺得某人適合博物館的工作時，胡芙曼便約見這個人以及評鑑發展中心的代表。她說：「這件事是以非常專業的方式進行的，評鑑發展中心讓當事者攜帶履歷表來，我們會討論哪一種工作最適合他們。我們從來不拒絕任何人，我給每一個人機會，我不會說：『我認為這個人不能夠到社會上去工作。』」

幾乎每個人都成功的走出去，並在社會上謀得工作，自從該計畫於 1986 年推動以來，博物館總共訓練了三十位殘障者，其中只有一位無法找到工作，後來評鑑發展中心認定這個人還不成熟，沒有準備好要找工作。

其餘的殘障者在完成職業訓練後，多少都有一些成就；有一位患有腦性麻痺的婦女，在三年前開始加入本計畫接受訓練後，如今已在博物館當義工，每週奉獻十個小時。她擁有歷史碩士學位，對博物館工作甚感興趣，「她的工作主要是做收藏紀錄。我們博物館必須處理大量的收藏品資料，由於書架太高她搆不著，因此我們把收藏品資料搬到她面前，除此之外，其餘部份都由她

一手完成，她會在審閱資料後，將其建檔在電腦中。她很喜歡這個工作，也很清楚她為我們的收藏品資料做了多少整理與更新，而這份成就感令她十分滿足。而我們有了她，等於省下一位全職員工四分之三的人力。」

另一位坐輪椅的婦人，也通過評鑑發展中心計畫與博物館的訓練。胡芙曼說：「我們不斷增加她的工作量與責任，她卻總是游刃有餘。」後來她決定到南伊大註冊深造，如今她正在攻讀康復更生方面的學位。

通常訓練工作由博物館員工負責，每位受訓者每週的工作時數約十小時，由於在訓練初期博物館員工需要事前準備，因此每週大概要花到十二小時，在數週後，受訓者就較能自行獨立工作，「並非自始至終都是一對一的。」胡芙曼說：「我們會去檢查他們的工作情況，隨時提供支援。」而且，博物館從來不同時接納兩位以上的殘障者加以訓練。

胡芙曼說，員工不會覺得訓練新手的工作負擔加重，原因之一是她讓員工參與策劃過程，讓員工對新人可安置在哪裡提供意見。她說：「此外，這個計畫也實在有趣，既鼓舞了當事者，也讓博物館員工感到值得。我們彼此學習。」

一旦遇到當事者無意到社會中工作的情況，胡芙曼就會採取非常彈性的作法，「如果行不通，我們也不會情緒激動，有時候只是因為沒有為這個人找對工作。我們會每週進行評估，一旦發現問題所在，就會馬上處理。我們會跟評鑑發展中心諮商，或許會增加訓練，或者另訂一套策略，以不同的方式對同樣的工作再加

以訓練。我們曾有過一些個案，不得不將當事者改換到其他工作崗位，不過，我們總會為他們找到一個適當的位置。」

她說：「凡事都看個人。每個人都是獨一無二的，你不能說：『這個人患了腦性麻痺，所以她一定會像這樣子。』其實不然，他們就跟其他人一樣具有個人特質，有些人判斷力非常成熟，而有些人則因自身殘障、又怕失敗而顯得沒有安全感。或許因為他們是殘障者，所以旁人已經帶給他們不少苦惱，因此，我們會設法讓他們寬心，我們會告訴他們：『如果你把事情弄糟了，也不要擔心，我們會把事情處理好的。』」

起初，胡芙曼對評估當事者是「有那麼一點憂慮的」，因為「你會心軟。但是你一定要盡量客觀，因為你這麼做是為他們好。如果你說：『喔，你做得很好』，而實際上並非如此，那你就降低了整個計畫的效益。」

對於任何要考慮推動殘障者訓練計畫的博物館，胡芙曼的建議是：要做好許多基本工作。「最重要的，你必須找到真正了解更生計畫的人士或者機構來合作。沒有經驗一切自己來的話，結果很可能會令人非常失望。」

無疑的，若能有像胡芙曼這樣既熱情又有幹勁，懷著志在必成決心的執行者，那就更好了。她說：「我全神貫注於這個計畫，已經好多年了」。

目前，她開始關注於如何拓展此項計畫，並予以發揚光大。她希望能夠獲得贊助，以便在博物館中進行較長期的訓練，並提供當事者薪金，她還希望做一些實驗性的研究，鼓勵其他博物館推動類似的訓練計畫。她覺得，這方面還少有人付出心力，然而，無論對殘障者，或博物館而言，都是「深具潛力的」。

[總編輯後記]

親愛的五觀讀者：

　　本書緣起，是當我在1996年寫作碩士論文時，因研究需要，以學生時代最省錢的方式，自伊利諾州春田市一路開了數百公里的路程（相當台灣頭尾來回三趟），前往美國首府華盛頓，訪問我心目中全世界博物館界最具影響力的機構：美國博物館協會（American Association of Museums, AAM）時所結下的因緣。《零障礙博物館》這本書的原文版《The Accessible Museum》，便是當時美國博物館協會的公關室主任贈送給我的。

　　他驚訝於一位女子遠自東方台灣、長途跋涉從美國中西部專程來訪，耐心地回答我先傳真給他的大小問題，帶我巡了一圈辦公區域，讓我感受一下全世界最大的博物館非營利事業機構。臨走前，除了祝福我的論文寫作順利，也希望台灣博物館事業能借鏡美國的經驗發展得更好。

　　1997年我從美國回來台灣，希望能發揮所學，選擇了一條需要默默耕耘的道路，創立了五觀藝術管理公司，並以出版和博物館規劃為職志。事實上，在五觀開闢「非營利事業〔NPO〕管理」和「藝術〔ARTS〕管理」二書系的出版工作之前，我曾經敲過數家優秀出版社大門，徵詢出版的意願，五觀現在之所以從事出版工作，其實是在我遭到這些出版社一一婉拒後，在親朋好友勸阻之下，仍然執意做的決定。回顧過去五年來，犯錯、嘗試與遭受拒絕，已是我生活中司空見慣的事，無論是情願與否，我勢必把

它們當成成長和為未來準備的功課。對國父所說的「立志做大事」，我的詮釋就是，在做事時，準備接受挫折，但絕不輕言放棄。

回國四年多來，台灣社會因為周休二日關係也好，注重終身學習也好，「博物館」成為新秀學域已是不爭的事實。台灣博物館事業雖然問題重重，但並非死水一灘，事實上，其中上上下下有很多人想改善博物館制度、體質、環境，還有更多的人想進入博物館專業，他們來自不同背景，懷抱著不同理想。每一個行業當中，對自己的期許愈高，就會受到社會的認同與尊敬，五年來，我仍然保持了當初對台灣博物館事業的熱情。

這一本《零障礙博物館》的原著，由於翻譯、編輯和出版經費昂貴，無法及早出版它的中文版，但是它一直放置在我的辦公室內視線所及最明顯的地方，提醒自己不要忘了初衷。做為博物館專業的一份子，我認為本書將會對台灣博物館事業投下一點「化學變化」，我深信未來十年的台灣博物館事業一定會較為健全，因為看過本書的朋友，都成為了做決策付出行動的領導人，當然必然會帶領出一些改變。

我最常被問到的問題，「你們出版這些書，都是國外的理論和經驗，如何能適用於台灣的社會？」，我的答案是：「專業可以走遍天下，只要是脫胎於專業精神，證成於實際經驗的著作，不管來自那一國家，對台灣都會有參考價值的。」但是，當前台灣博物館界的兩大罣礙，是眛於國外局勢和缺乏獨立思考。我期許台灣博物館事業能發展出自己的特色，也期許五觀讀者和自己，能成為有國際觀的博物館專業人。

書名之所取為《零障礙博物館》，重點在「零」這個字，有下面三種意義，一是從我在中國生產力中心工作擔任「全面品質管理」專案時，所學到的工作精神，那就是所謂的「零缺點」。第二，在學習成長的過程中，我常提醒自己要常常「歸零」，用全新的眼光來看待手邊的事務。第三，在台灣出版這樣的一本書，是希望藉由體貼觀眾的心，以「零距離」來提昇博物館的管理觀念與服務品質。

　　如果可以說一點成書過程的心得，來做為這篇後記的結尾，我的體會是：

　　　　　讀書，就是為了做知識份子
　　　　　知識份子，就是為社會做點事
　　　　　專業，就是解決問題
　　　　　偏偏
　　　　　就是這麼樣的一本書
　　　　　讓我覺得自己
　　　　　學得太少
　　　　　知道得太少
　　　　　做得太少太少
　　　　　台灣的博物館專業還有漫漫長路要走
　　　　　希望這本小書是一個小小的起步

　　　　　　　　　　總編輯　桂雅文
　　　　　　　　　　2001,2 於赴雪梨前夕

[譯者]

■ *Part I*
胡華真
英國新堡大學博物館學研究所 / 碩士
現任世界宗教博物館展示組

■ *Part II*
王春華
美國賓州大學博物館展示設計研究所 / 碩士
現任世界宗教博物館展示組主任

■ *Part III*
陳麗如
法國巴黎第十二大學公共政治關係 / 碩士
現任五觀藝術管理公司 / 專案經理

■ *Part IV*
桂雅文
澳洲新南威爾斯大學博物館管理研究所博士班就讀
美國伊利諾大學社區藝術管理研究所/碩士
五觀藝術管理公司/總監

■ 主　編
李如菁
國立成功大學工業設計研究所/碩士
現任國立科學工藝博物館展示組/助理研究員

［書籍推薦］
Bibliography

GENERAL

··

Books, reports, and guides

Allen, Anne, and George Allen. *Everyone Can Win: Opportunities and Programs in the Arts for the Disabled.* McLean, Va.: EPM Publications, 1988.

American Association for the Advancement of Science. *Barrier Free in Brief: Access to Science Literacy.* Washington, D.C.: American Association for the Advancement of Science, Project on Science, Technology, and Disability, 1991. (Also available in cassette form through Recording for the Blind.)

Arts and Disabled People. London: Bedford Square Press, for Carnegie United Kingdom Trust, 1985.

Association of Science-Technology Centers. *Access to Cultural Opportunities: Museums and the Handicapped.* Proceedings of the conference of the same name held on February 22–24, 1979 in Washington, D.C. Washington, D.C.: Association of Science-Technology Centers, 1980. 189 pp. bibliog.

Association of Science-Technology Centers. *Natural Partners: How Science Centers and Community Groups Can Team Up to Increase Science Literacy.* Proceedings of a workshop on the participation of women, minorities, and disabled people in science museums. Edited by Lynda Martin-McCormick. Washington, D.C.: Association of Science-Technology Centers and the American Association for Advance of Science, Office of Opportunities, 1987. 48 pp.

Berry, Nancy. "Special Audiences: Diagnosis and Treatment." In *Public View: The ICOM Handbook of Museum Public Relations*, pp. 26–33. Paris: ICOM, 1986.

Booth, Jeanette Hauck, Gerald Krockover, and Paula R. Woods. "Working with Special Groups." In *Creative Museum Methods and Educational Techniques*, pp. 104–18. Springfield: Charles C. Thomas, 1982.

Collins, Zipporah W., ed. *Museums, Adults and the Humanities: A Guide for Educational Programming*. Washington, D.C.: American Association of Museums, 1981. 399 pp.

Davidson, Betty. *Museum Exhibits and Programs: Are They Accessible to Disabled Users? A Model Evaluation Procedure*. Washington, D.C.: American Association for the Advancement of Science, Project on Science, Technology, and Disability, 1987.

Davidson, Betty. "The Special Needs Audience." In *New Dimensions for Traditional Dioramas: Multisensory Additions for Access, Interest and Learning*, pp. 50–58. Boston: Museum of Science, 1991. 82 pp.

Davidson, Betty. *People With Disabilities: An Untapped Source of Museum Volunteers*. Washington, D.C.: American Association for the Advancement of Science, Project on Science, Technology, and Disability, 1987.

Gosling, David. "Disabled Visitors." In *The Design of Educational Exhibits*, compiled by Roger S. Miles, in collaboration with M. B. Alt et al., pp. 102–05. 2d rev. edition. London and Boston: Allen & Unwin, 1988.

Hands-On Museums: *Partners in Learning*. Washington, D.C.: Educational Facilities Laboratories, for the National Endowment for the Arts, 1975.

Kamien, Janet. "How Do Special Needs Alter Arts Education Programs Outside the Regular Classroom Setting: An Example from the Children's Museum in Boston." In *The Arts Educator and Children with Special Needs: Conference Report*. Washington, D.C.: The National Committee, Arts for the Handicapped, 1978.

Kamien, Janet. *What If You Couldn't? A Book about Special Needs*. New York: Charles Scribner's Sons, 1979. 83 pp.

Kamien, Janet, and Amy Goldbas. *Museum Experiences for Families with Severely Disabled Kids. . . . A Program from The Boston Children's Museum*. Boston: The Boston Children's Museum, 1981. 31 pp.

Kennedy, Jeff. *User Friendly: Hands-On Exhibits That Work*. Washington, D.C.: Association of Science-Technology Centers, 1990.

Kenney, Alice P. "Compel Them to Come In." In *Museum Education Anthology 1973–1983*, pp. 78–82. Edited by Susan K. Nichols. Washington, D.C.: Museum Education Roundtable, 1984. 258 pp. (First published in *The Journal of Museum Education: Roundtable Reports* 6 (2): 3-4, 14 (1981).)

Majewski, Janice. *Part of Your General Public Is Disabled: A Handbook for Guides in Museums, Zoos, and Historic Houses*. Washington, D.C.: Smithsonian Institution Press, for Office of Elementary and Secondary Education, 1987. 83 pp. bibliog. (Also available is *Disabled Museum Visitors: Part of Your General Public*, a videotape in VHS, BETA, and 3/4" formats and a manual in audio cassette and braille format.)

Matyas, Marsha Lakes, and Lynda Martin-McCormick. *1990 Survey for Participation in Science Centers by Underserved Groups.* Washington, D.C.: Association of Science-Technology Centers, forthcoming.

Mertz, Greg. *An Object in the Hand: Museum Educational Outreach for the Elderly, Incarcerated & Disabled.* Washington, D.C.: Smithsonian Institution Collaborative Educational Outreach Program, 1981. 64 pp.

The Metropolitan Museum of Art. *Help for the Special Educator: Taking a Field Trip to The Metropolitan Museum of Art.* New York: The Metropolitan Museum of Art, 1981. 40 pp.

The Metropolitan Museum of Art. *Museums and the Disabled.* New York: The Metropolitan Museum of Art, 1979. 44 pp., bibliog.

The Metropolitan Museum of Art. *Standards for Signs and Labels in The Metropolitan Museum of Art.* New York: The Metropolitan Museum of Art. In preparation.

Munley, Mary Ellen, and Jeff Hayward. *Museums: Opening Doors and Expanding Awareness.* Washington, D.C.: Smithsonian Institution, National Museum of American Art, 1989.

Museums Without Barriers: A New Deal for the Disabled. Papers presented at a conference organized by Fondation de France on November 7–8, 1988 in Paris. London and New York: Routledge, 1991. bibliog.

National Endowment for the Arts and The President's Committee on Employment of the Handicapped. *Profiles in the Arts.* Edited by Marcia Sartwell. Washington, D.C.: U.S. Government Printing Office, 1986. 70 pp.

Newsome, Barbara Y., Adele Z. Silver, eds. "Museums and Community: Special Audiences." In *The Art Museum as Educator: A Collection of Studies to Practice and Policy,* pp. 159–176. Berkeley, Calif.: University of California Press, 1978. 830 pp.

Ontario Ministry of Citizenship and Culture. "The Community Museum and the Disabled Visitor." *Ontario Museum Notes: Practical Information on Operating a Community Museum,* no. 12. Toronto, Ontario: Ontario Ministry of Citizenship and Culture, 1985.

Owen, Mary Jane, ed. *Developing Museum Experiences for the Handicapped: A Gathering of Information Related to the Question of Accommodation and Accessibility within Museums.* Oakland, Calif.: The Western Association of Museums, 1978.

Park, David C., Wendy M. Ross, and W. Kay Ellis. *Interpretation for Disabled Visitors in the National Park System.* Washington, D.C.: U.S. National Park Service, Special Programs and Populations Branch, 1986. 107 pp.

Pearson, Anne. *Arts for Everyone: Guidance on Provision for Disabled People.* London: Carnegie United Kingdom Trust and Centre on Environment for the Handicapped, 1985. 110 pp.

Scottish Museums Council. *Museums Are for People.* Edinburgh: HMSO, 1985.

The Smithsonian Institution. *Museums and Handicapped Students: Guidelines for Educators.* Washington, D.C.: Smithsonian Institution, 1977. 163 pp., bibliog.

Sorrell, D. S., ed. *Museums and the Handicapped.* Seminar organized by the Group for Educational Services in Museums, Departments of Museum Studies and Adult Education, University of Leicester, England. Leicester, England: Leicestershire Museums, Art Galleries, and Records Service, 1976. 68 pp., bibliog.

This Way Please: For Easier Access to the Arts, Helping Clients with Disability. Edinburgh: Artlink and Scottish Arts Council, 1989. 4 pp.

The Use of Museums by Disabled People. CEH Seminar. Some Practical Considerations. London: Centre for Environment for the Handicapped, and Royal National Institute for the Blind, 1980.

~~~~~~~~~~~

Journals

Bardt-Pellerin, Elisabeth. "An Experiment: Guiding Handicapped Children in the Museum." *Gazette* 14 (1–2): 18–30 (1981).

Bark, Lois. "Museum Experience for the Exceptional Child." *Museum News* 46 (2): 33–35 (1967).

Burkhalter, Bettye B., and Alexia M. Kartis. "Planning the Recreational-Educational Complex of the Alabama Space and Rocket Center." *CEFP Journal* 21: 13–15 (January-February 1983).

Callow, Kathy B. "Museums and the Disabled." *Museums Journal* 74 (2): 70–72 (1974).

Cook, Allison D. "New York City's Community Art Resource for Disabled Persons." *New York Community Art Resource* 3 (387): (December 1984).

"Focus on the Disabled: Challenge for Museums: Identifying and Defining the Task, Issue I." Special issue edited by Susan N. Lehman with Janice Majewski. *Roundtable Reports: The Journal of Museum Education* 6 (2): (1981).

"Focus on the Disabled Museum Visitor: Solutions Offered, Programs Described, and Resources Listed." Special issue edited by Susan N. Lehman with Janice Majewski. *Roundtable Reports: The Journal of Museum Education* 6 (3): (1981).

Gee, Maureen. "The Power to Act." *Museum* 33 (3): 133–38 (1981).

Harrison, Molly. "Handicapped Children and Museums." *Museums Journal* 59 (5): 101–102 (1959).

Heath, Alison M. "Common Sense, Patience and Enthusiasm." *Museum* 33 (3): 139–45 (1981).

Heath, Alison M. "The Same Only More So: Museums and the Handicapped Visitor." *Museums Journal* 76 (2): 56–58 (1976).

Heakes, Norma. "Serving the Handicapped." *Toronto Royal Ontario Museum Journal* 1: (Spring 1966).

Inglis, Robin R. "Editorial: Museums and the Handicapped." *Gazette* 11 (3): 2–6 (1978).

Judson, Bay. "Special Needs Students at the Museum of Art." *Carnegie Magazine* 55 (9): 34–37 (1981).

Kamien, Janet. "A Question of Accessibility." In special issue "Focus on the Disabled" edited by Susan N. Lehman with Janice Majewski. *The Journal of Museum Education: Roundtable Reports* 6 (2): 5–7 (1981).

Keen, Carolyn. "Visitor Services and People with a Disability." *Museums Journal* 84 (1): 33–38 (1984).

Kelly, Elisabeth. "New Services for the Disabled in American Museums." *Museums Journal* 82 (3): 157–59 (1982).

Kenney, Alice P. "Museums Are for You." *Lifeprints*: 17–23 (April–March 1984).

Kenney, Alice P. et al. "The Challenge for Museums: Identifying and Defining the Task." *Roundtable Reports: The Journal of Museum Education* 6 (2): 3–7, 14 (1981).

Madden, Joan C., and Judith White. "Joining Forces: Reaching Out to Special Audiences." *Museum News* 60 (4): 38–41 (1982).

Marez Oyens, Johannes de. "Nine Varieties of Handicap." *Museum* 33 (3): 158–59 (1981).

Marti, Laurent. "For the Future: The International Red Cross Museum in Geneva." *Museum* 33 (3): 194–96 (1981).

Mims, Sandra K. "Art Museums and Special Audiences." *School Arts* 81 (7): 32–33 (1982).

Molloy, Larry. "Museum Accessibility: The Continuing Dialog." *Museum News* 60 (2): 50–57 (1981).

"Museums and Disabled Persons." Special issue. *Museum* 33 (3): 125–95 (1981).

"Museums and Disabled People." Special issue edited by Camilla Boodle. *Museum News: The Journal of National Heritage, The Museums Action Movement, London* 45: (Autumn 1989). 8 pp.

Palmer, Cheryl P. "Accessibility for All." *SEMC Journal*: 9–14 (1979).

Paskowsky, Michael. "Accommodating the Disabled: How Much Is Enough?" *The Interpreter* 18 (3): 16–19 (1987).

Pearson, Anne. "The Vicious Circle: Museum Education and Handicapped People in Some London Museums." *Journal of Education in Museums* 3: 5–7 (1982).

Plominska, Sophia M. "Glimpses of Special Activities in Poland." *Museum* 33 (3): 183–85 (1981).

Rheaume, Paul H. "A Hands-On Approach for Don't Touch Exhibits." *Curator* 31 (2): 96–98 (1988).

Sharpe, Elizabeth. "Docents Experience Museum Visit as Disabled Visitors." In special issue "Focus on the Disabled Museum Visitor" edited by Susan N. Lehman

with Janice Majewski. *The Journal of Museum Education: Roundtable Reports* 6
(3): 6–7 (1981).

Snider, Harold. "The Inviting Air of an Accessible Space." *Museum News* 55 (3):
18–20 (1977).

Terry, Paula. "New Rules Will Require Even Greater Access to Museums." *Museum
News* 69 (1): 26–28 (1990).

Tillett, Susan P. "Private Museum Makes Accessibility Commitment." In special is-
sue "Focus on the Disabled Museum Visitor" edited by Susan N. Lehman with
Janice Majewski. *The Journal of Museum Education: Roundtable Reports* 6 (3):
2, 8, 12–14 (1981).

Treff, Hans-Albert. "Educating the Public." Special issue on Museums and Disabled
Persons. *Museum* 33 (3): 151–155 (1981).

Tsuruta, Soichiro. "Adaptations in Japan." Special issue on Museums and Disabled
Persons. *Museum* 33 (3): 185–187 (1981).

VISUAL IMPAIRMENTS

Books, reports, and guides

American Foundation for the Blind. *Nature Trails, Braille Trails, Fragrance Gar-
dens: Touch Museums for the Blind: Policy Statement.* New York: American
Foundation for the Blind, 1973.

Appreciation of Art and Cultural Heritage. Glasgow: Royal National Institute for the
Blind and EBU Commission on Cultural Affairs, 1991.

Arts Education for the Blind. *AEB Newsletter: New Methodology for Museum Ac-
cessibility.* Whitney Museum, New York.

Arts for Blind and Visually Impaired People. New York: Educational Facilities Lab-
oratories, 1978.

Coles, Peter. *Please Touch: An Evaluation of the "Please Touch" Exhibition at the
British Museum, 31st March to 8th May 1983.* Dunfermline, Fife: Committee of
Inquiry into the Arts and Disabled People, 1984.

Directory of Museums with Facilities for Visually Handicapped People. London:
Royal National Institute for the Blind, 1988. 31 pp.

Duncan, John, Calasha Gish, Mary Ellen Mulholland, and Alex Townsend. *Envi-
ronmental Modifications for the Visually Impaired: A Handbook.* New York:
American Foundation for the Blind, 1977.

Freeman, F. *Shape and Form: A Tactile Exploration.* New York: Metropolitan Mu-
seum of Art, 1977.

Groff, Gerda, with Laura Garner. *What Museum Guides Need to Know: Access for

Blind and Visually Impaired Visitors. New York: American Foundation for the Blind, 1989. 55 pp., bibliog.

Hulser, Richard P. *Mainstreaming the Visually Handicapped in the Hall of Meteorites, Minerals and Gems at the American Museum of Natural History,* 1979.

Kelley, Jerry D. *Recreation Programming for Visually Impaired Children and Youth.* New York: American Foundation for the Blind, 1981.

Lisenco, Yasha. *Art Not by Eye: The Previously Sighted Visually Impaired Adult in Fine Arts Programs.* New York: American Foundation for the Blind, 1971.

The Museum and the Visually Impaired: The Report of the Work Group on Facilities for the Visually Impaired. Toronto, Canada: Royal Ontario Museum, 1980.

Pearson, Anne, and Marcus Weisen. *Talking Touch. Proceedings of a conference at the Royal National Institute for the Blind on the Use of Touch in Museums and Galleries.* London: Royal National Institute for the Blind, 1988.

Perceiving Modern Sculpture: Selections for the Sighted and Nonsighted. New York: New York University, Grey Art Gallery and Study Center. 1980.

Rodriguez, S. "An Art Program for Visually Impaired Children." In *Prism: The Arts and the Handicapped.* Pittsburgh, Pa.: Museum of Art, Carnegie Institute, 1981.

Royal Ontario Museum. *The Museum and the Visually Impaired: The Report of the Work Group on Facilities for the Visually Impaired.* Toronto, Ontario: Royal Ontario Museum, 1980. 23 pp. bibliog.

Shore, Irma, and Beatrice Jacinto. *Access to Art: A Museum Directory for Blind and Visually Impaired People.* New York: American Foundation for the Blind and Museum of American Folk Art, 1989. 129 pp., bibliog.

Sheets, Ruth A. "Becoming Involved in the Museum Experience." In *New Attitudes at the Museum,* edited by Dana Walker, pp. 9–11. Washington, D.C.: American Council for the Blind, 1985. 26 pp.

Stanford, Charles W. *Art for Humanity's Sake: The Story of the Mary Duke Biddle Gallery for the Blind.* Raleigh, N.C.: North Carolina Museum of Art, 1976.

Stukey, Kenneth. "Experiencing the Museum." In *New Attitudes at the Museum,* edited by Dana Walker, pp. 12–15. Washington, D.C.: American Council of the Blind, 1985. 26 pp.

Talking Touch: Report on a Seminar on the Use of Touch in Museums and Galleries Held at the Royal National Institute for the Blind on 29th February 1988. Jointly organized with Museums and Galleries Disability Association (MAGDA). London: Royal National Institute for the Blind, 1988. 50 pp.

Walker, Dana, ed. *New Attitudes at the Museum.* Panel Discussion held in Philadelphia, Pennsylvania on July 2, 1984. Philadelphia: American Council of the Blind, Friends in Art, 1985.

Weisen, Marcus, and David Hammond. *Proposal for a Tactile Museum of Environmental Discovery*. London: Royal National Institute for the Blind, 1987. 95 pp., 7 appendices, bibliog.

Wexell, Astrid. "Tactile Pictures in Stockholm." *Museum* 33 (3): 180–83 (1981).

~~~~~~~~~

Journals

Alphen, Jan van. "Along the Tigris and the Euphrates." The Art Horizons, 1990: Report of European Blind Union Conference in *International Journal of Museum Management and Curatorship* 4 (3): 295–6 (1985).

"An Art Gallery for the Blind." *Programs for the Handicapped* 75 (8): 11–13 (1975).

Astone, Judy, Carolyn O. Blackmon, Joseph Buckley, and William Ingersol. "Setting Priorities." *Museum News* 55 (3): 30–31, 45 (1977).

Bartlett, J. E. "Museums and the Blind." *Museums Journal* 54 (11): (1959).

Bateman, Penny. "Human Touch" British Museum Exhibition 6 Feb. to 16 March 1986, Comments and Ideas." *British Journal of Visual Impairment* 4: 77–79 (Summer 1986).

Bourgeois-Lechartier, Michel. "At Lons-le-Saunier (France). Friendship: The Most Powerful Force." *Museum* 33 (3): 160–65 (1981).

Bronsdon Rowan, Madeline, and Sally Rogow. "Making Museums Meaningful for Blind Children." *Gazette* 11 (3): 36–41 (1978).

Byrne, S. "Design for a Mobile, Audio-Tactile Exhibition for Blind and Sighted School-Age Children." *The New Outlook for the Blind* 68 (6): 252–59 (1974).

Calhoun, Sally N. "On the Edge of Vision." *Museum News* 52 (7): 36–41 (1974).

Covington, George A. "Photography Aids Visually Impaired Museum Visitors." In special issue "Focus on the Disabled" edited by Susan N. Lehman with Jan Majewski. *Roundtable Reports: The Journal of Museum Education* 6 (2): 6–7 (1981).

Cronk, Michael Sam. "Blindness and the Museum Experience." *Ontario Museum Quarterly, Toronto* (12) 3: 13–15 (September 1983).

Delevoy-Otlet, S. "A Museum for the Blind: The Royal Museums of Art and History, Brussels." *Museum* 28 (3): 178–80 (1976).

De Wyngaert, Laura. "Art for the Blind. . . . " *Arts and Activities* 73: 30–32 (1973).

Duczmal-Pacowska, Halina. "The Museum and the Blind." *Museum* 28 (3):176 (1976).

Duczmal-Pacowska, Halina. "Why Not Science Exhibitions for the Blind? *Museum* 28 (3): 176–77 (1976).

Duncan, John et al. "Environmental Modifications for the Visually Impaired." *Journal of Visual Impairment & Blindness* 71 (10): 442–55 (1977).

Favière, Jean. "The Museum and the Blind: Introduction." *Museum* 28 (3): 176 (1976).

Favière, Jean, Halina Duczmal, and S. Delevoy-Otlet. "The Museum and the Blind." *Museum* 28 (3): 172–76 (1976).

Ford Smith, James. "A Sense of Touch." *Museums Journal*, 83 (2–3): 143 (1983).

Freer, Margaret E. "An Art Experience through Touch." *Braille Forum* 11 (5): 3–6 (1973).

Goldberg, Joshua. "In Praise of Darkness: The 'Hands-on Japan' Exhibition." *Museum* 33 (3): 187–92 (1981).

Haseltine, James L. "Please Touch." *Museum News* 45 (2): 11–16 (1966).

Henriksen, Harry C. "Your Museum: A Resource for the Blind." *Museum News* 50 (2): 26–28 (1971).

Hunt, Susan. "An Exhibit for Touching." *Journal of Visual Impairment & Blindness* 73 (9): 364–66 (1979).

Kenney, Alice P. "A Range of Vision: Museum Accommodations for Visually Impaired People." *Journal of Visual Impairment & Blindness* 77 (7): 325–29 (1983).

Kolar, Judith Rena. "A Bird in the Hand: Planning a Zoo Program for the Blind." *Curator* 24 (2): 97–108 (1981).

Lehon, Lester H. "Development of Lighting Standards for the Visually Impaired." *Journal of Visual Impairment & Blindness* 74 (7): 249–53 (1980).

Libin, Laurence. "To Touch and Hear: A Musical Instruments Exhibition for the Blind." *ICOM Education, ICOM-CECA* 7: 36–37 (1975–76).

Maynard, Merrill A. "Museums Are a Resource for the Blind." *Dialogue* 24 (3): 83–84 (1985).

Moore, George. "Displays for the Sightless." *Curator* 11 (4): 292–96 (1968).

Nair, S. N. "Special Programmes for Blind Children at the National Museum of Natural History, New Delhi, India." *Museum* 33 (3): 174–75 (1981).

Pearson, Anne. "Please Touch: An Exhibition of Animal Sculpture at the British Museum." *International Journal of Museum Management and Curatorship* 3 (4): 373–78 (1984).

Pearson, Fiona. "Sculpture for the Blind: National Museum of Wales." *Museums Journal* 81 (1): 35–37 (1981).

Pierotti, R. "Be, See, Touch, Respond." *Museum News* 52: 43–48 (1973).

Raffay, Monique. "The Arts through Touch Perception: Present Trends and Future Prospects." *British Journal of Visual Impairment* 6 (2): 63–65 (1988).

Rowan, Madeline B., and Sally Rogow. "Making Museums Meaningful for Blind Children." *Gazette* 11 (3): 36–41 (1978).

Rowland, William. "An Experiment in Art Appreciation by Touch." *New Beacon* 58 (685): 115–17 (1974).

Rowland, William. "Museums and the Blind: It Feels Like a Flower . . ." *ICOM News* 26 (3): 117–21 (1973).

Rubin, Judith A. "The Exploration of a 'Tactile Aesthetic'." *New Outlook for the Blind* 70 (9): 369–75 (1976).

Scherf-Smith, Patricia. "Against Segregating the Blind." *Museum News* 55 (3): 10–11 (1977).

Seven, Steven M. "Environmental Interpretation for the Visually Impaired." *Education of the Visually Handicapped* 12: 53–58 (Summer 1980).

Sheets, R. A. "Sharing the Museum Experience." *Braille Forum* 23: 12–16 (January 1985).

Shore, Irma. "Designing Exhibits for the Visually Impaired." *Museum News* 67 (2): 62–64 (1988).

Snider, Harold. "Arts for the Blind and Visually Impaired: A View from the Jungle." *The Braille Monitor*: 40–43 (February 1978).

Snider, Harold. "Museum Integration." *The New Beacon* 61 (719). London: Royal Institute for the Blind.

Snider, Harold. "Museums and the Blind: A Look Ahead." *The Braille Monitor*: 465–67 (September 1976).

Stanford, Charles W. "Knowing Art in a Museum through the Perception of Touch." *North Carolina Art Museum Bulletin* 8 (2): 4–11 (1968).

Stanford, Charles W. "A Museum Gallery for the Blind." *Museum News* 44 (10): 18–23 (1966).

Steiner, Charles K. "Art Museums and the Visually Handicapped Consumer: Some Issues in Approach and Design." *Journal of Visual Impairment & Blindness* 77 (7): 330–33 (1983).

Steiner, Charles K., Amy German, Wolfgang Brolley, "Helping Hearing-Disabled Visitors and the Metropolitan Museum of Art." *Their World*, 1982. (Publication of Foundation for Children with Hearing Disabilities)

"The Tactual Museum of Athens: An Educational Resource for the Blind." *Museum*(162): 78–79 (1989).

Toll, Dove. "Should Museums Serve the Visually Handicapped?" *The New Outlook for the Blind* 69 (10): 461–64 (1975).

Watkins, Malcolm J. "A Small Handling Table for Blind Visitors." *Museums Journal* 75 (1): 29–30 (1975).

HEARING IMPAIRMENTS

Books, reports, and guides

Banks, Geraldine, and Mary Pulsifer. "Good Impressions." *Perspectives for Teachers of the Hearing Impaired* 4 (3): 6–9 (1986).

Bergman, Eugene. *Arts Accessibility for the Deaf.* Washington, D.C.: National Access Center, 1981. 24 pp.

Bizaguet, Eric. "Sufferers from Defective Hearing and the New Techniques for Communication." In *Museums without Barriers: A New Deal for the Disabled*, pp. 156–59. London and New York: Routledge, 1991.

Bouchauveau, Guy. "Reception Services for the Deaf at the Cité des Sciences et de l'Industrie at La Villette in Paris." In *Museums without Barriers: A New Deal for the Disabled*, pp. 160–62. London and New York: Routledge, 1991.

Derycke, Beatrice. "International Visual Art for the Deaf." In *Museums without Barriers: A New Deal for the Disabled*, pp. 163–164. London and New York: Routledge, 1991.

Fellman, Meri. *Programs for Deaf Visitors at the National Air and Space Museum: Research Study*. Washington, D.C.: Smithsonian Institution, National Air and Space Museum, 1977.

Harkness, Sarah P. *Building Without Barriers for the Disabled*. New York: Whitney Library of Design, 1976.

Landmark Society of Western New York. *Museums Are for Everyone: Accessibility for the Hearing Impaired*. Rochester, N.Y.: The Landmark Society of Western New York, 1982.

Morgan, Michelle. *Notes on Design Criteria for People with Deafness*. Washington, D.C.: The American Institute of Architects, 1976.

Sign-Language Program. New York: The Metropolitan Museum of Art, Division of Education Services, Spring 1989.

Walker, Lou Ann, and Nancy Rosenblatt Richner. *Museum Accessibility for Hearing-Impaired People*. New York: The Modern Museum of Art, 1983. 97 pp.

Willard, Tom. *Arts and Museum Accessibility for Deaf and Hard of Hearing People*. Rochester, N.Y.: Deaf Artists of America, 1991. 32 pp.

~~~~~~~~~~

Journals

Breunig, H. Latham. "About the Hearing-Impaired Audience." In special issue "Focus on the Disabled" edited by Susan N. Lehman with Janice Majewski. *The Journal of Museum Education: Roundtable Reports* 6 (2): 9–11 (1981).

Feeley, Jennifer. "The 'Listening Eye': Tours for the Deaf in San Francisco Bay Area Museums." *Museum Studies Journal* 2 (1): 36–49 (1985).

Novik, Sandra P. "Museum Characteristics Advantageous for Education of the Deaf." *Journal for the Rehabilitation of the Deaf* 17 (3): 5–12 (1983).

Sutherland, Mimi. "Total Communication." *Museum News* 55 (3): 24–26 (1977).

Tennenbaum, Paula. "Soundtracks: Intern Develops New Audiences." *The Museologist* 46 (167): 8–10 (Spring 1984).

LEARNING IMPAIRMENTS

Books, reports, and guides

Artymowski, Jan D. "Services for the Mentally Handicapped at the Royal Castle in Warsaw, Poland." In *Museums without Barriers: A New Deal for the Disabled*, pp. 181–186. London and New York: Routledge, 1991.

de Ponthieu, Jean. "Art and Museums Even for Those Who Suffer the Worst Disadvantage." In *Museums without Barriers: A New Deal for the Disabled*, pp. 167–171. London and New York: Routledge, 1991.

The Metropolitan Museum of Art. *Museum Education for Retarded Adults: Reaching Out to a Neglected Audience.* New York: The Metropolitan Museum of Art, 1979. 47 pp. bibliog.

Reising, Gert. "The National Museum of Fine Arts in Karlsruhe, Germany." In *Museums without Barriers: A New Deal for the Disabled*, pp. 177–180. London and New York: Routledge, 1991.

Steiner, Charles K. "Museum Programmes Designed for Mentally Disabled Visitors." In *Museums without Barriers: A New Deal for the Disabled*, pp. 172–176. London and New York: Routledge, 1991.

Steiner, Charles K. *Museums: A Resource for the Learning Disabled.* 2d ed. New York: The Metropolitan Museum of Art, Division of Education Services, 1984. 32 pp.

Steiner, Charles K., Amy German, and Wolfgang Brolley. "Helping Learning Disabled Visitors at the Metropolitan Museum of Art." In *Their World*, pp. 76–77. New York: Foundation for Children with Learning Disabilities, 1983.

Journals

Ouertani, Nayla. "A New Source of Hope: A Scheme for Mentally Handicapped Children in Tunisia." *Museum* 33 (3): 172–173 (1981).

Schleien, Stuart J. et al. "Integrating Children with Moderate to Severe Cognitive Deficits into a Community Museum Program." *Education and Training in Mental Retardation* 22 (2): 112–20 (1987).

Steiner, Charles K. "Reaching the Mentally Handicapped." *Museum News* 56 (6): 19–23 (1978).

Steiner, Charles K. "The Met and Mentally Retarded Museum-Goers." In special issue "Focus on the Disabled" edited by Susan N. Lehman with Janice Majewski. *The Journal of Museum Education* 6 (3): 7–8 (1981).

PHYSICAL DISABILITIES

Books, reports, and guides

Richard, Anne. *Able to Attend: A Good Practice Guide on Access to Events for Disabled People.* London: NCVO Employment Unit, 1987. 30 pp.

The Smithsonian Institution. *Smithsonian: A Guide for Disabled Visitors.* Washington, D.C.: Smithsonian Institution, 1989. 27 pp.

Journals

Ashby, Helen. "York 'Please Touch' Workshop." *Museums Journal* 89 (8): 11 (1989).

Kenney, Alice P. "Museums from a Wheelchair." *Museum News* 53 (4): 14–17 (1974).

Kenney, Alice P. "A Test of Barrier-Free Design." *Museum News* 55 (3): 27–29 (1977).

Westerlund, Stella, and Thomas Knuthammar. "Handicaps Prohibited—Travelling Exhibition in Sweden." Museum 33 (3): 176–79 (19082).

OLDER PERSONS

Books, reports, and guides

American Association of Retired Persons. *Attracting Older Americans to Museums: A Guide for Museum Educators.* Washington, D.C.: American Association of Retired Persons, Institute of Lifetime Learning, 1985. 28 pp.

American Association of Retired Persons. *Museum Opportunities for Older Persons.* Washington, D.C.: American Association of Retired Persons, 1984. 16 pp.

Art, the Elderly, and a Museum: Older Adult Programs at the Brooklyn Museum. Brooklyn, N.Y.: The Brooklyn Museum, 1980.

Balkema, John B., with Harry R. Moody. *The Creative Spirit: An Annotated Bibliography on the Arts, Humanities and Aging.* Washington, D.C.: The National Council on Aging, 1986.

Cahill, Pati, comp. *Arts, the Humanities and Older Americans: A Catalogue of Program Profiles.* Washington, D.C.: The National Council on the Aging, 1981, 81 pp.

Greenberg, Pearl, with Paula Terry. *Visual Arts and Older People: Developing Quality Programs.* Springfield, Ill.: Charles C. Thomas, 1987. 205 pp.

Heffernan, Ildiko, and Sandra Schnee. *Art, the Elderly, and a Museum: Older Adult Programs at the Brooklyn Museum.* Brooklyn, N.Y.: The Brooklyn Museum, 1980.

Johnson, Alton C., and E. Arthur Prieve. *Older Americans: The Unrealized Audience for the Arts.* Madison: University of Wisconsin, 1977.

McCutcheon, Priscilla B. *An Arts and Aging Media Sourcebook: Films, Videos, Slide/Tape Shows.* Washington, D.C.: The National Council on the Aging, 1986.

McCutcheon, Priscilla B., and Cathryn S. Wolf. *A Resource Guide to People, Places and Programs in Arts and Aging.* Washington, D.C.: The National Council on the Aging, 1984. 188 pp.

Mertz, Gregory A., with illustrations by Sara Stromayer. *Our Natural World: Group Discussion and Activity Guides for Older Audiences and Their Group Leaders.* Washington, D.C.: Office of Education, National Museum of American History, Smithsonian Institution, 1986. 96 pp.

Older Adults in Museums, Arts and Humanities: Selected Readings and Resources. Washington, D.C.: Smithsonian Institution, Museum Reference Center, 1984.

Padwe, Alice, ed. *Older Adults and the Museum World: An Emerging Partnership.* Washington, D.C.: Smithsonian Institution, 1982. 66 pp., bibliog.

Rubin, Eleanor. *Looking Together: A Free Training Program for Senior Adults at the Museum of Fine Arts, Boston.* Boston: Museum of Fine Arts, 1979. 103 pp.

Senior Citizen Program—The Baltimore Museum of Art: A Handbook. Baltimore, Md.: The Baltimore Museum of Art, Division of Education, Senior Citizen Program, 1977.

Sharpe, Elizabeth M. *The Senior Series Program: A Case Study with Implications for Adoption.* Washington, D.C.: Smithsonian Institution, National Museum of American History, 1982. 228 pp.

Journals

Graetz, Linda. "Houston: 'A Steady Hand and Peaceful Heart'" in a special section "Art Museums and Older Adults." *Museum News* 59 (5): 30, 33–35 (1981).

Heffernan, Ildiko, and Sandra Schnee. "Brooklyn: Building a New Musuem Audience" in special section "Art Museums and Older Adults." *Museum News* 59 (5): 30–32 (1981).

Hubbard, Linda. "Partners in Learning." *Modern Maturity* 26 (1): 87–88 (1983).

"Museums and Older Adults." Special issue edited by Elizabeth M. Sharpe et al. *Roundtable Reports: The Journal of Museum Education* 9 (4): 2–20 (Fall 1984).

Sunderland, Jacqueline T. "Museums and Older Americans." *Museum News* 55 (3): 21–23 (1977).

Books, reports, and guides

Access Improvements in Historic Districts: Providing Access to Boston's Historic New-bury Street for People with Disabilities. Boston, Mass.: Design Guild Adaptive Environments Center, 1989.

Ballantyne, Duncan S. *Accommodation of Disabled Visitors at Historic Sites in the National Park System.* Washington, D.C.: U.S. Department of the Interior, Technical Preservation Services Division, 1983.

Cultural Resources Management Guideline, no. NPS-28. Washington, D.C.: U.S. Department of the Interior, National Park System, Park Historic Architecture Division, Cultural Resources Management, 1985.

Battaglia, David H. *The Impact of the Americans with Disabilities Act on Historic Structures. Information Series*, no. 55. Washington, D.C.: National Trust for Historic Preservation, 1991. 16 pp.

Battaglia, David H. "Americans with Disabilities Act: Its Impact on Historic Buildings and Structures." 10 *Preservation Law Reporter* 1169 (1991).

Douglas, James D. "Requirements for Accessibility in Historic Buildings under the Americans with Disabilities Act." In *Legal Problems of Museum Administration: Course of Study Transcripts*, cosponsored by The Smithsonian Institution with the Cooperation of the American Association of Museums, pp. 387–98. Washington, D.C.: The American Law Institute, 1992.

The Impact of Accessibility and Historic Preservation Laws, Regulations and Policies on NPS Historic Sites: Analysis and Recommendations. Washington, D.C.: U.S. Department of the Interior, National Park Service, 1978.

Jester, Thomas C., and Judy L. Hayward, eds. *Accessibility and Historic Preservation Resource Guide.* A guide to The Accessibility and Historic Preservation Workshops sponsored by the Historic Windsor; the National Park Service, Preservation Assistance Division; the Advisory Council on Historic Preservation; and the National Conference of State Historic Preservation Officers. Photocopy, 1992. Reprint information available from Historic Windsor, Inc., Windsor, Vt.

Kenney, Alice P. *Hospitable Heritage: The Report of Museum Access.* Allentown, Pa.: Lehigh County Historical Society, 1979. 44 pp.

Kenney, Alice P., with Charles Cox. *Access to the Past: Museum Programs and Handicapped Visitors. A Guide to Section 504—Making Existing Programs and Facilities Accessible to the Disabled Person.* Nashville, Tenn.: American Association for State and Local History, 1980. 131 pp., bibliog.

Parrott, Charles. *Access to Historic Buildings for the Disabled: Suggestions for Planning and Implementation*, no. 46. Washington, D.C.: U.S. Department of the Interior, Technical Preservation Services Division, 1980. 86 pp.

Smith, William, and Tara G. Frier. *Access to History: A Guide to Providing Access to Historic Buildings for People with Disabilities.* Boston, Mass.: Massachusetts Historical Commission, 1989.

"Preserving the Past and Making It Accessible to Everyone: How Easy a Task?" *CRM Supplement 1991.* Washington, D.C.: U.S. Department of the Interior, National Park Service, Preservation Assistance Division, Cultural Resources Programs, 1991.

U.S. Department of the Interior, National Park Service. *Accommodation of Handicapped Visitors at Historic Sites*, Volume 1 Guide and Volume 2 Technical Manual. Washington, D.C.: Government Printing Office, 1979.

~~~~~~~~~

Journals

"Access to History." *Historic Preservation* 30 (3): 2–3 (1978).

Artymowsky, Daniel. "A Calling and a Challenge: Working for the Handicapped at the Royal Castle in Warsaw." *The International Journal of Museum Management and Curatorship* 5 (2): 159–62 (1986).

Kenney, Alice P. "Open Door for the Handicapped." *Historic Preservation* 30 (3): 12–17 (1978).

James, Marianna S. "One Step at a Time: How Winterthur Approaches Program Accessibility." *History News* 36 (7): 10–15 (1981). bibliog.

Walter, J. Jackson. "President's Note." An editorial on making the seventeen properties of the National Trust for Historic Preservation accessible to the disabled. *Historic Preservation* 42 (3): 6 (1990).

PLANNING, DESIGNING, FUNDING, AND BUILDING ACCESSIBLE MUSEUMS

~~~~~~

Books, reports, and guides

"The Adapt Fund: Guidelines." In *Adapt: Access for Disabled People to Arts Premises Today.* Dunfermline, England: Carnegie United Kingdom Trust, 1990.

Community Development Block Grant Report. Photocopy. (Available from the National Endowment for the Arts, 1989, 1992 [forthcoming]).

Danilov, Victor J. *Science and Technology Centers*. Cambridge: The MIT Press, 1982. 363 pp.

Getting There: A Guide to Accessibility for Your Facility. Berkeley, Calif.: Center for Planning and Development Research, State of California Department of Vocational Rehabilitation, 1979.

Funding Sources and Technical Assistance for Museums and Historical Agencies. Compiled by Hedy A. Hartman. Nashville, Tenn.: The American Association for State and Local History, 1979.

Handicapped Funding Directory: A Guide to Sources of Funding in the United States for Handicapped Programs and Services for the Disabled. Seventh edition. Margate, Fla.: Research Grant Guides, 1990.

Management Policies. Washington, D.C.: U.S. Department of the Interior, National Park Service, 1988.

Scott, Bruce H. *Book of Renovations: A Compilation of Drawings Depicting the Most Common Problems and Solutions to Renovating Existing Buildings and Facilities to Make Them Accessible to and Usable by People with Physical Disabilities.* Lawrence, Kans.: Kansas University, Research and Training Center on Independent Living, 1985.

Trippett, Laurie. "The Accessibility Standards and Where to Find Them." In *The Sourcebook 1992*, pp. 55–82. Washington, D.C.: The American Association of Museums, 1992.

ARCHITECTURAL SPECIFICATIONS

Books, reports, and guides

The American Institute of Architects. *Design for Aging: An Architect's Guide.* Washington, D.C.: The AIA Press, 1986, 1987.

American National Standards Institute. *American National Standards Specifications for Making Buildings and Facilities Accessible to and Usable by Physically Handicapped People*, no. A117.1 (rev. of ANSI A117.1–1961). New York: American National Standards Institute, 1980. 68 pp.

The Americans with Disabilities Act: Accessibility Guidelines for Buildings and Facilities, 36 CFR Part 1191, Sept. 6, 1991. Washington, D.C.: U.S. Architectural and Transportaiton Barriers Compliance Board. 28 pp.

Goldsmith, S. *Designing for the Disabled.* 3d ed. London: RIBA Publications, 1976.

Kliment, Stephen A. *Into the Mainstream: A Syllabus for a Barrier Free Environment.* Washington, D.C.: The American Institute of Architects, 1975.

Mace, Ronald L. *Accessibility Modifications: Guidelines for Modification of Existing Buildings for Accessibility to the Handicapped.* Raleigh, N.C.: Barrier-

Free Environments, for North Carolina Department of Insurance, Special Office for the Handicapped, 1976, 1979.

Mace, Ronald L. *Application of Basic Design Specifications*. Washington, D.C.: The American Institute of Architects, 1978.

Mace, Ronald L. et al. *The Planners Guide to Barrier-Free Meetings*. Waltham, Mass.: Barrier-Free Environments and Howard Russell Associates, 1980.

Milner, Margaret. *Opening Doors, A Handbook on Making Facilities Accessible to Handicapped People*. Washington, D.C.: National Center for a Barrier Free Environment and Community Services Administration, 1978.

Uniform Federal Accessibility Standards, 49 FR 31528 August 7, 1984. Washington, D.C.: U.S. Architectural and Transportation Barriers Compliance Board. 69 pp.

~~~~~~~~~

Journals

Jones, Michael A., and John H. Catlin. "Design for Access." *Progressive Architecture:* 65–70 (April 1978).

Townsend, Sally. "Touch and See—Architecture for the Blind." *Curator* 18 (3): 200–05 (1975)

Vorreiter, Gabrielle. "Theatre of Touch." *The Architectural Review*, London (1108): (1989).

LEGAL REGULATIONS
~~~~~~~~~~~~~~~~~~~~~~~~~~~~~~~

Books, reports, and guides

*The ADA Handbook.*Washington, D.C.: EEOC and the U.S. Dept. of Justice, 1991.

Americans with Disabilities Act: ADA Compliance Guide. Washington, D.C.: Thompson Publishing Group, 1990.

The Americans with Disabilities Act: From Policy to Practice. Edited by Jane West. New York: Milbank Memorial Fund, 1991. 360 pp.

American with Disabilities Act of 1990: Law and Explanation. Chicago, Ill.: Commerce Clearing House, 1990.

Americans with Disabilities Act Manual. Washington, D.C.: The Bureau of National Affairs, 1992.

Catlin, John H, Loebl Schlossman, and Hackl, Inc. "Americans with Disabilities Act: Museum Compliance." In *Legal Problems of Museum Administration: Course of Study Transcripts*, cosponsored by The Smithsonian Institution with the Cooperation of the American Association of Museums, pp. 381–86. Washington, D.C.: The American Law Institute, 1992.

Cooke, Edmund D., and Peter S. Gray, eds. *The Disability Law Reporter Service.*

ARTS
管理

1 社區藝術管理 - 藝術管理人手冊
Fundamentals of Local Arts Management

原著：緹娜・布瑞德／柯洛奇・卓伸／潘・可爾華／
哈理斯・諾斯／艾麗斯・諾斯／芭芭拉・拜貢

譯者：桂雅文

中文版：**NT400**

2 博物館這一行
Introduction to Museum Work

原著：艾里斯・博寇 G. Ellis Burcaw

譯者：張譽騰・王玉豐・蔡旺洲・魏聰洲・滕肇心・黃明玉・吳鴻慶
葉淑惠・賴麗雯・林潔盈・古金玉・周永怡・陳立超・鍾淑芳
劉瑞平・郭瑞坤・徐淑惠・鄭世達・曾思綺・桂雅文

中文版：**NT450**

3 藝術教育的本質
Philosophy of Art Education

原著：愛德蒙・惠特曼 Edmund Burke Feldman

譯者：桂雅文・李文珊・洪麗珠・談玉儀・劉美玲・曾于珍

中文版：**NT400**

4 新博物館管理
Managing New Museums / A Guide to Good Practice
原著：提姆・安魯斯 Timothy Ambrose（英國）
譯者：桂雅文
審訂：張譽騰
中文版：**NT290**

5 零障礙博物館
The Accessible Museum
Model Programs of Accessibility for Disabled and Older People
原著：美國博物館協會 AAM
譯者：桂雅文・胡華真・王春華・陳麗如
導讀：張譽騰
中文版：**NT855**

6 寶貝，我的寶貝
世界最大博物館機構Simthsonian企劃出版
給收藏家與典藏人員的第一本維護保存專書
Conservation Concerns / A Guide for Collectors and Curators
編者：Konstanze Bachmann
原出版：美國史密森機構
譯者：劉藍玉

7 觀眾眼中的博物館
The Museum Experience
原著：Dr. John H. Falk & Dr. Lynn D. Dierking
譯者：林潔盈・羅欣怡・皮淮音・金靜玉

1 董事，應該懂的事 - 董事會運作手冊

The Board Member's Guide / a Beneficial Bestiary

原著：Jeanne H. Bradner

插畫：Carl R. Granath

譯者：蔡宜津・桂雅文

中文版：**NT190**

2 幫幫忙 - 義工管理求救指南

*The (Help!) I- Don't Have Enough Time
Guide to Volunteer Management*

原著：康寶＆艾利斯 Katherine N. Campbell & Susan J. Ellis

譯者：桂雅文・蔡宜津・鄭純宜

中文版：**NT380**

3 世紀曙光 - 非營利事業管理

Managing Nonprofit Organizations in The 21st Century

原著：詹姆士・傑雷德 Dr. James P. Gelatt

譯者：張譽騰・桂雅文・李港生・戚偉恆・陳麗如・鄭惠玲・
　　　鄭純宜・高映梅・周怡君・黃于峻

中文版：**NT450**

4 募款成功完全手冊 - 義工與專家必讀的

Successful Fundraising
A Complete Handbook for Volunteers and Professionals

原著：瓊恩・福納根 Joan Flanagan

譯者：陳希林・陳麗如・方怡雯・曾于珍

5 找資源做益事 - 非營利人的企劃提案要領

Program Planning & Proposal Writing

原著：Norton J. Kiritz

原出版：美國輔導補助中心

譯者：陳麗如

國 家 圖 書 館 出 版 品 預 行 編 目 資 料

零障礙博物館 / 美國博物館協會（American
Association of Museum)原著；桂雅文等譯.
-- 臺北市：五觀藝術管理, 2001〔民90〕
面；公分
譯自：The Accessible Museum: Model Programs of
       Accessibility for Disabled and Older People
ISBN 957-97648-7-5 (平裝）

1. 博物館 - 管理
069.4   90000953

零 障 礙 博 物 館

The Accessible Museum: Model Programs of Accessibility for Disabled and Older People

原著：美國博物館協會AAM

譯者：桂雅文・陳麗如・胡華真・王春華

發 行 人：陳銘達
導讀審訂：張譽騰
總 編 輯：桂雅文
主　　編：李如菁
攝　　影：張宏聲・段士元・桂雅文
影像提供：Corbis Images
美術設計：廖家偉
贊助單位：國家文化藝術基金會・電話: 02-2754-1122
　　　　　台北市政府文化局・電話: 02-2345-1556
協辦單位：永續台灣文教基金會・電話: 06-335-1291
　　　　　御匠設計工程股份有限公司・電話: 02-2781-1291
策劃出版：五觀藝術管理有限公司
　　　　　台北市105八德路四段232號8樓
　　　　　電話: 02-2748-1222　傳真: 02-2748-1221
劃撥帳號：1939-3401　戶名：五觀藝術事業有限公司
印　　刷：秋雨印刷股份有限公司
出版日期：2001年5月
總 經 銷：永續圖書有限公司 電話:02-8691-5885

零障礙博物館
The Accessible Museum